CW00689149

Abecedario del estío

Sudaquia
editores

New York, NY.

Colección Sudaquia

Abecedario del estío

Liliana Lara

Sudaquia Editores.
New York, NY.

ABECEDARIO DEL ESTÍO BY LILIANA LARA
Copyright © 2019 by Liliana Lara. All rights reserved
Abecedario del estío

Published by Sudaquia Editores
Collection design by Sudaquia Editores
Cover illustration by Irene Singer
Author image by Jacqueline Zilberberg

First Edition Sudaquia Editores: May 2019
Sudaquia Editores Copyright © 2019
All rights reserved.

Printed in the United States of America

ISBN-10 1944407448
ISBN-13 978-1-944407-44-5
10 9 8 7 6 5 4 3 2 1

Sudaquia Group LLC
New York, NY

For information or any inquires: central@sudaquia.net

www.sudaquia.net

The Sudaquia Editores logo is a registered trademark of Sudaquia Group, LLC

This book contains material protected under International and Federal Copyright Laws and Treaties. Any unauthorized reprint or use of this material is prohibited. No part of this book may be reproduced or transmitted in any form or by any means, electronic or mechanical, including photocopying, recording, or by any information storage and retrieval system without express written permission from the author / publisher. The only exception is by a reviewer, who may quote short excerpts in a review.

This book is a work of fiction. Names, characters, places, and incidents either are products of the author's imagination or are used fictitiously. Any resemblance to actual persons, living or dead, events, or locales is entirely coincidental.

Índice

blurred lines between memory + fiction.

¿Qué hay más importante que una persona o un objeto existiendo en medio de la penumbra que separa la memoria y la imaginación?
Dan Tsalka

*Esta es la utilidad de la poesía, que nos recuerda
cuan difícil es seguir siendo la misma persona
pues nuestra casa está abierta, sin llaves en la puerta,
e invisibles huéspedes entran y salen*
Czeslaw Milosz

A de Agua

I

Ver a mi hijo a punto de ahogarse en el cloro azul de la piscina me llevó a convertirme en instructora de supervivencia y afines. Sus manos alzadas, su nariz tratando de salir del agua mientras yo corría apartando niños, madres y pelotas. Gritaba en mi lengua, pero nadie me entendía. Nadie se inmuta al ver a una madre gritando en la piscina, además. A eso van las madres – creen algunos - a gritar y a que los niños no les presten atención. Todos en una piscina gritan, en todo caso. Por lo demás: ¿qué es eso de gritar en una lengua extranjera?, ¿es que acaso estos extranjeros nunca aprenderán a hablar la lengua local? El salvavidas se estiraba en una silla de extensión: más que un salvavidas parecía uno de esos turistas eslavos que llegaban en verano a la isla de Margarita, en el Caribe venezolano. Se desplegaba como quien está pasando una resaca de coca y ron bajo el sol de un Caribe más barato. Despreocupado como un carpintero holandés gastando sus ahorros en un paquete turístico soleado, mientras yo corría y gritaba y trataba de salvar a mi hijo.

II

En vista de que las clases de natación ya habían comenzado hacía algunas semanas y no se sabía a ciencia cierta si se abriría otra tanda, me dije a mí misma: yo les enseño. Así, convertida en esa Sarah Connor de una de las secuelas de *Terminator* – ésa en la que ella se vuelve un soldado programado para matar y entrena a su retoño en consecuencia- me convertí en instructora de nado y supervivencia. Mi niña ya sabía un poco, pero mejoró muchísimo. Mi hijo flotó y pataleó como el que más. Todas las tardes, en las aguas más azules de lo profundo, lanzaba a mis hijos para que tratasen de mantenerse a flote. Me recrudecí, di órdenes: ¡aquí nadie se ahoga, coño! Cero flotadores: aquí hay que defenderse, ¡carajo! El sol nos achicharró, los músculos nos brotaron como tallos furiosos. Ya poco me importó pasearme por los alrededores de la piscina con un bikini poco maternal pues las carnes se me apretujaron y ya no saltaban. En realidad ya poco me importó el bikini en sí mismo, ni los kilos, ni las miradas, ni las carnes duras o blandas, ni las pelotas, ni los flotadores, ni las frutas, ni las papas fritas, ni los protectores solares. Yo no estaba allí para esas nimiedades, sino para entrenar.

Máquinas de nado y supervivencia llenas de músculos achicharrados, eso fuimos.

III

Pero no hay que cantar victoria, mucho menos si se trata de ríos con corriente. Y por perseguir un sueco de plástico, a mi niña se la llevó la corriente de uno de los afluentes del río Jordán. Estábamos en la orilla, metiendo los pies solamente, asombrados por la fuerza del río y el tráfico pesado de *kayaks*. No pensábamos siquiera entrar en la violencia helada de aquellas aguas. De pronto alguien gritó: "se le fue un sueco" y cuando volteé a mirar también se había ido ella, tratando de recuperarlo. Correr, gritar, llorar, mirar su cabecita siempre afuera, como cuando la lanzaba en lo profundo de la piscina para que se defendiera, para que se mantuviese a flote. Gritar, correr, llorar, hasta que el agua estuvo a punto de taparme. Mirar los *kayaks* a gran velocidad pasando al lado de su cabecita. "Agárrenla", rugí en mi idioma: sólo se tiene una lengua para expresar el pavor. Gritar, correr, llorar hasta estar casi segura de que el agua me llevaría a mí también. "Agárrenla", lloré: el pavor está tejido por los hilos de una gramática universal. Entonces alguien desmadejó esos hilos y se lanzó desde la canoa en la que iba y luchó en contra de esa corriente-monstruo-acuático y subió a mi niña al bote y me la trajo. Todo ocurriendo ante mis ojos, sin puntos ni comas, sólo conjunciones rápidas como aquellas aguas friísimas. Yo, que estaba a punto de irme también con la corriente.

Las madres nunca gritan en vano en los ríos caudalosos.

IV

Miedos expandidos por el agua. Plantas de los pies llenas de morados. Todo el cuerpo adolorido.¿Músculos? ¡Las pelotas! Más clases de supervivencia.

B de Burbujas

El mundo da vueltas rápidamente, se encoge, *es un pañuelo*. Lo que está aquí, también está allá. Lo mío ya no es tan mío. Lo de los otros, me lo apropio. Puedo comer el mismo yogur aquí y en Buenos Aires. Sigo viendo mi serie favorita en Caracas y en Tel – Aviv. Todo eso se ha repetido hasta la saciedad. Pero hay pequeños reductos de resistencia. Lugares a los que la velocidad del mundo no afecta, ni los hilos inalámbricos que unen esto con aquello, ni la moda traducida a cualquier lengua. Si acaso existe todavía algún purista de la cultura que crea que hablo de lugares positivos, pequeños templos de lo autóctono, maravillosas células de resistencia cultural, se equivoca. Siento defraudarlos. Me refiero más bien a lugares regidos por fanatismos a los que tanto bien les haría una buena embestida globalizada: una Shakira rabiosa meneando las caderas, o la repetición de todas las temporadas de la última serie televisiva de moda.

Atravieso uno de esos lugares cada vez que voy a la universidad en Jerusalén. De pronto es como si el autobús entrara en otro espacio temporal, en otra era, un triángulo de las bermudas de la historia. La gente que camina por las calles va vestida de negro, con trajes que parecen rescatados de los armarios de la primera guerra mundial. Las mujeres son las que más me impresionan: sombreritos oscurecidos, medias *pantys* sombrías, zapatos de los años veinte, caras lánguidas sin una gota de maquillaje, chaquetas y blusas muy tapadas. Faldas largas y pesadas como un viejo telón de teatro. La indumentaria es la misma, así en invierno como en este verano ardiente. El calor carcome las paredes de piedra de los edificios céntricos, casi las veo volverse polvo ante mis ojos, pero aquellas mujeres siempre van incólumes, dignas, apenas sofocadas. Sólo una fe infinita puede aislar a un ser humano de la inclemencia de los rayos solares; solo un fanatismo acérrimo puede desentenderlo de los rigores del clima y de las estaciones.

Siempre van arrastrando cochecitos, esas mujeres, o llevando varios niños en las manos. Incluso desde niñas, van cuidando a los hermanos menores. Chiquitas, suben a los autobuses con una cadeneta de hermanos menores en cada mano. Se quedan a cargo, mientras las madres pagan los pasajes. Dan instrucciones, limpian mocos, sientan a los más pequeños, se quedan sin puesto. Vuelan cuando el autobús da una vuelta brusca. Las madres no se dan cuenta, ocupadas con el bebé de turno que llevan en las piernas. Tal vez algún pasajero las ayude a no caer. Yo misma las ayudo a levantarse, las agarro por la muñeca frágil y extremadamente delgada de niña que apenas tiene nueve años, o tal vez ocho. Miro sus ojos de juguete. Niñas sin muñecas, que saben tanto de bebés, mocos y pañales.

Cruzan una calle muy vieja, aquellas mujeres, miran cosas en los bazares de piedra, arrastran bolsas llenas de comida. No importa lo rápido que pueda ir el mundo, ellas siempre van a contramano. Apenas estudian y se embarazan a cada rato. Se van llenando de hijos y de arrugas. Siempre deben llevar las cabezas cubiertas con lienzos o pañuelos, pero algunas se las cubren con pelucas. Como si el pelo sintético no fuera pelo. Como si una ficción de pelo no despertara pensamientos lascivos. Como si la ficción no fuera tan o más lujuriosa que la realidad.

Los hombres con bucles en las orejas y sobretodos negros siempre van ensombrerados. Cuando llueve cubren sus sombreros con bolsas plásticas transparentes y es como si llevaran una burbuja sobre la cabeza. Sus cabezas están dentro de burbujas. Una vez subió uno muy viejo al autobús en el que yo viajaba. Me arrimé para que se sentara a mi lado, era el único puesto libre que había. Me miró entonces con ojitos de cerdo furioso y gritó: "yo no me siento al lado de mujer". Mejor para mí – pensé – que con ese sobretodo negro a 40 grados centígrados el señor debía estar exudando vapores de azufre.

Hay reductos, fortificaciones, enclaves a los que la *mundialización* de la cultura no ha llegado. Pero que bueno sería que llegara una briznita de otra parte a sonrojarles las mejillas a estas señoras. Ojalá les fuera permitido encender la televisión para mirar una telenovela mexicana con su lloradera traducida. Un comercial de chocolates que les avivara la gula. Un concurso televisado de canto o baile que hiciera que estas señoras soñaran con otra cosa más allá del sumiso servicio a los hombres, el respeto a un dios innombrable y la crianza de los niños.

Un *realityshow* con escenas de sexo y llanto. Una computadora enchufada a Internet todo el día. Un reguetón bien escabroso para que esos señores entiendan que no tiene nada de malo sentarse al lado de una mujer en el autobús, que hay cosas más escandalosas que se cantan y se bailan públicamente.

El mundo da vueltas rápidamente y sin embargo los fanatismos se enclaustran, se enconchan, se acorazan, se emburbujan. Se protegen de toda mella, de toda mezcla, de todo quiebre. Refractan cualquier mestizaje. Les importa un pepino las desterritorializaciones y las reterritorializaciones. Se repelen y se odian los unos a los otros. Se cierran, se niegan a cualquier intercambio.

Desde la ventana del autobús en el que atravieso esas burbujas a veces veo sábanas bordadas a mano con un hueco muy redondo en un lugar estratégico, casi en el medio, y que ondean como banderas izadas en honor al comedimiento en los tendederos de la parquedad ...

Pero mejor no sigo: uno no debe convertirse en un fanático del antifanatismo, ya lo dijo el preclaro Amos Oz.

C de Cuentos

A principios de este verano a D. se le ocurrió la genial idea de poner un mapa de Maturín en la pared de nuestra cocina. ¡Maturín! ¡Por dios! – le dije – Ni siquiera la gente que vive allí pondría tal cosa en su cocina. Él se había antojado de comprar aquel mapa el verano pasado en nuestro último viaje a Venezuela. Una curiosidad, pensé, o el típico desperdicio de dinero en souvenires. A ningún venezolano – insistí – se le ocurriría la estrafalaria idea de poner un mapa de Maturín en la pared de la cocina. Que él no era venezolano – me contestó - y que había pensado que, ya que crecí en esa ciudad, me gustaría ver ese mapa. Pobre – pensé moviendo la cabeza reprobatoriamente – ¡en verdad que es extranjero!

Si no quité el mapa inmediatamente fue porque al tratar de despegarlo noté que la pintura de la pared se quedaba pegada en la cinta adhesiva y como no tenía planes de pintar luego, pues allí quedó hasta nuevo aviso, en esa esquina, cerca de la ventana y el mesón de la cocina, alumbrando todo con su fondo verde y sus rojas inscripciones. Verde, el mapa, algunas veces me llamaba, pero yo lo evitaba. Cada vez que iba a calentar el agua en la tetera eléctrica lo miraba de reojo. También mientras servía el *nescafé* en la taza o cuando le agregaba el agua hirviendo. Pero un día, mientras revolvía mi café, lo enfrenté directamente. Sin darme cuenta los ojos se me hundieron en él. En esas zonas sin nombre, sin carreteras, que llaman reservas naturales. En ese arañado fluvial. En esa vía al mar que quedó truncada por la malaria, los monos asesinos, las tarántulas, los mosquitos de la selva espesa, la pared vegetal, la burocracia, o qué se yo. Me hundí irremediablemente en ese verde. Pensé en Álvaro Mutis, en Joseph Conrad, en Rubi Guerra. Me acordé, incluso – y por qué no –, de Jhonny Depp comandando un barco pirata. Recordé a uno de mis personajes que sale desde Trinidad, atraviesa un pedacito del Caribe y entra a Venezuela por uno de esos ríos que desgarran esa selva pastosa. Un río de esos que llaman caños.

Zozobré en ese mapa. En las historias selváticas de mi padre, de cuando anduvo por esa zona sin nombre y sin carreteras; por esas corrientes que arrastraban troncos de árboles. Esas rolas de madera que en mi memoria venían desde Puerto España, pero vaya usted a saber de dónde venían realmente. Me perdí también en las historias siempre esquivas y contadas a medias de mi madre. Aquellas casas de arquitectura trinitaria que hoy han sido transformadas a fuerza de zinc en negocios de turcos y talleres mecánicos. Aquellos barcos que venían por el Río San Juan. Aquella gente que habitaba una ciudad llena de mosquitos, oscura, lluviosa, antes de saber que todo el subsuelo era un gran yacimiento petrolero. Aquella gente que la habita ahora, alumbrada por los mecheros que queman el gas natural que rodea al petróleo.

Las bocas de mis padres me hablaban desde ese mapa. También las bocas de mis abuelos. Las bocas de personajes escuchados en conversaciones ajenas. Esas conversaciones atendidas y entendidas a medias que fueron una de las fascinaciones de mi infancia. Trampa – jaulas. Dulces de origen trinitario. Pájaros que se mueren de rabia. También pirañas, cachicamos, turpiales, serpientes y más pájaros. Pájaros sin nombre.

Entonces comencé a escribir una serie de cuentos oscuros sobre una Maturín que ni siquiera yo misma recuerdo. La Maturín que me habla desde ese mapa pegado en la pared de la cocina de mi casa en el Medio Oriente.

A veces escribo para recordar lugares, personas, cuentos que me contaron y que por razones que desconozco se quedaron en mi cabeza por años. Aunque mis cuentos no son autobiográficos, a veces escribo para recordar quién fui y de dónde era.

Tuve que agradecerle a D. ese mapa que ningún maturinés pondría jamás en su cocina. ¡En verdad que yo misma soy tan extranjera!

D de D.

Si yo fuera D. escribiría una novela que comenzara así:

Nací el mismo día en que Gombrowitz se fue de la Argentina.

Y aunque no sé hasta dónde se puede llegar con esta frase, se me ocurre que es un gran principio para una novela argentina.

O escribiría el cuento de su abuela jugadora de póquer, llena de joyas y pieles falsas. Esa misma abuela que preparaba recetas que hacía pasar por tradicionales de la culinaria idish, pero lo cierto era que ella nunca realmente había conocido tales platillos, pues sus padres se habían desprendido de todas las viejas costumbres y comidas apenas bajaron de los barcos.

O tal vez escribiría la historia de su otra abuela.

O tal vez un cuento que se desarrollase en aquellos míticos salones de juegos de mesa a los que él iba a jugar *1914* y a tomar té. Sí, a jugar y a tomar té. Mientras yo estaba en mi pueblo selvático tropical chiflando por un grupo de adolescentes que cantaban mal, pero se contoneaban de lo mejor, D. pasaba toda la noche y la madrugada en salones de juegos de mesa en el Buenos Aires querido de principios de los 80. Me lo imagino caminando, delgado y narizón, con las manos en los bolsillos. Empuja la puerta para entrar, deja atrás la noche y el invierno húmedo, deja atrás también la historia y el tiempo, y se interna en el salón junto a los amigos. Escogen una mesa y se sientan. El mesonero aparece con un menú repleto de juegos. Eligen uno y juegan durante horas juegos bélicos y de estrategias. El salón está lleno

25

de mesas atiborradas de gente y miles de juegos para escoger: *T.E.G.* (técnicas y estrategias de guerra), *Espionaje, Mil Millas, Petrodólar* y el *1914*, el mejor juego que se haya inventado nunca - en palabras de D. Se escuchan gritos, pero también hay silencios delgados como cáscaras. En la mesa, despliegan el tablero y ordenan las piezas. Se reparten países, ejércitos, dinero, fichas. Toman té, cocacola y tostados. No se juega a plata sino por el honor. El honor es lo único que tienen en los bolsillos aquellos chicos, además de algunas monedas, alguna caja de fósforos, algún llavero. Un salón de juegos en el que no hay alcohol ni apuestas por plata me parece increíble a mí, que provengo de otro mundo, lleno de garitas y de "bingos bailables", pero Buenos Aires no es el Caribe, está claro.

1914 es el juego favorito de D. porque allí el azar queda de lado y entonces sólo se trata de maquinar alianzas, traiciones, batallas. En 15 minutos hay que establecer lazos con países aliados, pero está prevista la traición, y en el momento de la verdad la posibilidad de que algún aliado falte a su palabra les hace helar la sangre a todos. Alguno traiciona el pacto diplomático aquella noche. Entonces hay que moverse con astucia para no sucumbir. D. y sus amigos sudan y tiemblan y se toman las cosas con más seriedad que quienes *tienen el destino de la humanidad entre sus manos.*

Suelen quedarse toda la noche en aquellas casas de juego, eso sí, porque es peligroso andar deambulando por allí: mientras ellos están sumergidos buscando la manera de ganar más petrodólares, haciendo guerras o concertando alianzas diplomáticas, afuera hay una dictadura.

A las siete de la mañana del siguiente día, al salir a la calle nuevamente, muchas amistades se han roto sobre los mapas, las cartas y las fichas de los juegos porque "ningún juego es un juego" – como se sabe. Entonces toman un autobús de regreso a sus casas, o tal vez el carro de alguno que ya tiene licencia para conducir. Se van despacio en la neblina mañanera, como soldados agotados por la larga batalla nocturna, sin hablar, apenas mirándose, seguramente ideando futuras revanchas.

→ stories and storytelling

Todo lo que me cuenta D. a mi se me transforma en un cuento inmediatamente. Tal vez porque me cuesta creer que hayan existido salones de juego sin juegos electrónicos ni tragamonedas, aún a principios de los años 80, sin alcohol ni apuesta, que apenas me lo cuenta me ubico ya no en Buenos Aires sino en algún lugar de Europa en alguna posguerra. Un salón de juegos en Polonia a mediados del siglo pasado en el que ya se está jugando *1914*.

Si yo fuera D. escribiría un cuento sobre el día en que Gombrowitz abandonó la Argentina. Un cuento sobre abuelas mentirosas que juegan póquer a plata, casas de juego en plena dictadura, lenguas encapsuladas, ajedrez, migraciones, extravíos.

"If I were D. I would write a story about the day that Gombrowitz left Argentina"

↓

a story of migration + fictional wars
↳ playing war when it is a reality

✱ could do a paragraph on the fiction of war interplaying with the reality of war – Israeli-Palestine conflict ✱

E de E.

Hay imágenes de E. que no me dejan dormir en las noches.

La mayoría de sus imágenes son bellas, pero me refiero por supuesto a dos o tres imágenes tristes para mí. No hablaré de todas aquí, sólo de la última de este verano: Ella siendo arrastrada por la corriente de aquel río. Su cabecita en el agua, entre *kayaks* que pasaban a toda velocidad, su mirada angustiada. Sus ojos clavados en mí y yo corriendo con los brazos estirados en el *summum* del patetismo y la desesperación.

Los padres estamos todo el tiempo coleccionando imágenes felices de nuestros hijos, miles y miles de fotos y películas. Las imágenes tristes no hace falta que nadie las atesore: se quedan grabadas a la perfección en nuestros recuerdos y suelen volver sin que nadie las llame.

Hace algunos días, mientras lavaba los platos, me vino la imagen de esa mirada de niña siendo arrastrada por las aguas. Entonces abandoné todo a medio lavar y fui corriendo a verla. Estaba en su cuarto cosiendo vestidos para sus muñecas. Me preguntó si me gustaban y si por fin le enseñaría a poner botones. Busqué botones y me senté junto a ella para enseñarle. Pasamos toda la tarde cosiendo, mientras el jabón de los platos se endurecía.

E. está todo el tiempo haciendo cosas maravillosas. A principios de este verano hizo un títere que dejó impresionados a todos. Nadie le dijo cómo hacerlo. Las demás niñas quisieron que les hiciera uno a cada una. Así, mi bella E. pasó gran parte del verano haciendo títeres con paletas de helado, servilletas, cartones, hilos.

Quiero que sus manos cosiendo, pintando, armando títeres me borren aquella mirada de niña siendo arrastrada por las aguas, pero sé que es imposible. Volverá a mí como vuelven todas las culpas.

F de Firmar

[handwritten note: mention of different nationalities throughout the book links to multiculturality]

La señora de vestido negro está parada frente a la pantalla sin saber qué hacer. Pone su dedo índice sobre unos de los números que están allí, pero no ocurre nada. Un dedo de uña pintada de rojo. Una mano de anillos de un oro de color raro. Ese oro antiquísimo que tiene reflejos rosados y que estoy casi segura que sólo se consigue en joyerías ucranianas. Yo estoy detrás de ella, esperando, embutiéndome de paciencia. La señora no es tan vieja, debería saber usar está pantalla – pienso. También pienso que la señora es lo suficientemente vieja como para estar preocupada por su desempleo. Entonces me veo a mí misma en 15 años viniendo a esta oficina a oprimir los botones de una máquina infernal - que quién sabe cómo funcione - para dejar constancia de que sí, estoy desempleada; sí, no me he ido de vacaciones ni estoy fuera del país: y sí, no me he muerto todavía.

[handwritten note: fictional future?]

Cada principio de semana de este verano vengo a "firmar" en la oficina de desempleo. Así lo escribo en mi agenda: "Firmar", aunque desde el año pasado lo que se hace es oprimir botones con números en una pantalla y luego poner el dedo índice en una ranura que *escanea* huellas digitales. Ante toda esta modernidad, yo sigo diciendo: "firmar". Me pregunto cómo llamará la señora del vestido negro y el oro ucraniano a esto que yo llamo "firmar".

[handwritten note: in limbo, in between periods of life.]

Lo bueno de presentarse ante una máquina tan *purupupú* es que uno no tiene que dar explicaciones de por qué lleva ya 6 semanas desempleada. Tampoco tiene que escuchar la oferta de trabajos miserables y aceptar alguno porque si no se enteran de que lo que uno más quiere en esta vida es vivir sin trabajar, pero teniendo una pensioncita para poder escribir. Escribir, ese es el verdadero trabajo y el que no consta en ningún certificado ni proporciona ninguna retribución económica. A la máquina eso no le interesa: le basta saber que ese es mi número de identidad y esas son mis huellas digitales. Le dije a D. que si me muero, me arranque el dedo como hacen en las películas para poder seguir metiéndolo en esa ranura, para poder seguir "firmando". Entonces me vio con cara descompuesta y no quiso seguir escuchándome. "*Andá, andá a firmar, y dejáte de tonteras*" (Él también lo llama "firmar").

Pero a veces sucede que la máquina suelta un papelito que no dice nada (por si acaso el desempleado es analfabeta o nuevo inmigrante, da igual), pero muestra el dibujo de un señor sentado rígidamente ante un escritorio. Entonces hay que ir a hablar con algún empleado. Explicarle que sí, que uno sigue desempleado. El empleado sabe que mi trabajo no cubre veranos, que no trabajo durante cuatro meses y no me pagan, hay varios profesores como yo que también "firman" en esta oficina. No obstante me ofrece un trabajo de secretaria en un bufete de abogados en el que buscan a alguien que hable español. Acepto - le digo. ¿Ha trabajado alguna vez en una oficina? - me pregunta. Nunca - le respondo, pero qué importa, pienso. Me ve con mala cara. ¿Pero usted comienza a dar clases nuevamente en octubre, no es así? - me pregunta. En noviembre - le corrijo. Me mira como pensando que el Estado se va a joder con profesores como yo. Lo miro como diciendo que no es tanta la pensioncita. Entonces déjelo así - pone punto final a nuestro duelo de miradas. Lo que no se imagina ese señor es que en los meses en los que "firmo" suelo trabajar más que nunca: escribo cuentos, novelas, tesis doctorales. Me vuelvo una máquina de lectura, escritura, nado y supervivencia.

Señora – le digo a la señora del vestido negro y el oro ucraniano- permítame ayudarla. Le escribo su número de identidad en la pantalla, le pongo el dedo de uña roja en la ranura de la máquina, le entrego un papelito que no dice nada pero tiene dibujada una casa. Esto quiere decir – le aclaro – que todo está bien, que se puede ir a su casa.

G de Guerras

I

Me despertó el ruido de mi propio cuerpo estrellándose contra el piso. Me despertó también un dolor inmenso y la voz de D. diciéndome que cómo me caigo así, que si acaso no sé que cuando suena la alarma hay que actuar con frialdad y premura.

—¿Qué alarma? – le pregunté y pude ver el pavor en sus ojos.

No me contestó, me arrastró, dijo que teníamos que buscar a los niños. La alarma aullaba sin cesar a nuestro alrededor, pero yo caminaba sorda de desmemoria.

En el cuarto blindado ya estaba E., quien obedientemente hizo lo que se debe hacer en estos casos. S. en cambio no se había despertado todavía. D. lo trajo cargado.

—Ah, esa alarma- dije cuando finalmente pude escucharla – recordarla, y abracé a los niños.

Cuando estoy despierta sé lo que hacer, pero cuando estoy dormida mi cuerpo brinca como un gato sorprendido. El problema es la caída.

La realidad a veces nos lanza un *uppercut* real y no sólo metafórico. Gracias a que mi rostro es ovalado y mi barbilla roma, no necesité que me agarraran puntos, pero el dolor fue grande porque iba en dos direcciones: la física y la metafísica.

Las guerras nunca se terminan, sólo se transforman. Para sustentar esta aseveración tendría que pasearme por los recovecos de la historia universal y la verdad es que no tengo ganas.

Más que santa, esta guerra es eterna. No terminará nunca y seguirá transformándose. Encontrará nuevos guantes para calzar sus tentáculos. Hoy aquí, mañana allá. Quien crea que la solución está en ponerse a favor de un solo bando, le invito a despertarse con el estruendo.

II

En las noches de la segunda guerra con el Líbano, no paraba yo de soñar con guerras. La primera era en blanco y negro: cohetes como pintados en un cielo gris que caían concertadamente – yo los podía ver en el cielo, frente a mí. Caían en orden, alineados de 6 en 6, tal vez, como en esas viejas películas de guerras. Todo en el sueño seguía la estética de esas películas de los años 50 o de esos espacios informativos de cualquier régimen fascista: todo extremadamente ordenado, todo absolutamente blanco y negro, todo espléndidamente disciplinado, incluso los cohetes que caían y destruían ciudades. En mi sueño yo era una espectadora y como tal podía ver venir los cohetes en coreografía marcial sobre mi cabeza con la certeza de que nada me iba a pasar.

En la segunda guerra todo era verde opaco, ese verde de *Apocalipsis Now*: los tanques, las hojas que pisaban los tanques, los uniformes de los soldados, incluso sus ojos. Creo que era Vietnam. Yo era otra vez una espectadora regocijada en la opresión de la humedad y el verde y no me pasaba nada más que el asombro y la extrañeza.

En la tercera guerra entré en escena: era yo hace algunos años, sin hijos, viviendo en la misma casa en la que viví hace tiempo frente al

Ávila, en Caracas. La casa de mis abuelos. La única diferencia era que
en aquella casa vivía toda mi familia, una especie de comuna familiar
imposible y traída un poco de los pelos. La guerra se desarrollaba en
la cumbre de la montaña, mientras nosotros abajo seguíamos nuestra
vida normal. Yo miraba el humo en la montaña y me preocupaba,
pero todos decían que nada iba a pasar, que la guerra no nos llegaría,
que no había que mirar hacia arriba, que era bueno obviar al Ávila
en esos días. No es difícil obviar las cosas omnipresentes, sobre todo
si es algo terrible: una guerra, una dictadura, una enfermedad. Sobre
todo si es algo muy grande o constante a lo largo de un gran espacio
de tiempo. Así como mucha gente vive frente al mar sin tratarlo, no
es difícil vivir en Caracas y nunca jamás mirar hacia arriba, hacia esa
montaña que circunda la ciudad. Entonces no era difícil obviar la
guerra, acostumbrarse al sonido apagado de los morteros. Así vivía
hasta que los residuos de la batalla comenzaron a bajar por la montaña.
Era humo y polvo y hollín del más negro que habían formado una
avalancha que avanzaba lenta pero inexorablemente desde la cima
hasta la ciudad. No había refugios en Caracas y alguien que había
visto muchas películas de ciencia ficción propuso que usáramos las
estaciones del metro para guarecernos. Así, cada quien debía preparar
un pequeño morral con lo más necesario (o lo más querido) y correr
a la estación más cercana. Entonces comenzó mi calvario: qué llevar,
qué ropa ponerme, qué zapatos. Tan acostumbrada a mirar el detalle
y no el todo, perdí demasiado tiempo en esa tontería, pero antes de
que me comiera el polvo negro, me desperté. Y fue como si despertara
también dentro de este otro sueño: comencé escuchar el estruendo
apagado de los morteros lejanos y a imaginarme el ruido que deben
hacer en el lugar en el que caen.

III

Vivo cerca de una guerra, pero no nos tratamos. Nuestra relación no va más allá de una explosión lejana por parte de ella, y un "hasta cuando" mecánico de mi parte. Vivimos en una guerra "moderna": la vemos por la televisión, podemos seguir comprando comida normalmente en el supermercado, vamos al trabajo. Podemos seguir llevando a nuestros hijos a la piscina o a fiestas infantiles. Si en medio del ruido cotidiano y la música tu hijo distingue el estruendo y quiere saber qué es. Entonces puedes responder con mentiras. Mentiras que has comenzado a creer de tanto repetirlas. Burbujas.

En mi sueño esas guerras se van acercando cada vez más en el tiempo: la primera es súper lejana y borrosa, maniqueísta y artificial como panfleto fascista. La segunda mezcla el sopor de una geografía lejana con el color desvaído de los setenta. La tercera ocurre frente a mi casa, en mi país, en los años 90. Soy yo misma, un poco más joven o más tonta. Es toda mi familia reunida frente al escenario bélico. Es el polvo negro que termina comiéndome o despertándome.

La verdad es que ahora la guerra está aquí, en esta realidad: hago mercado en medio de proyectiles. Antes de que caigan, una sirena antiaérea los anuncia, entonces todos nos quedamos petrificados o corremos a los refugios, siempre esperando la suerte de poder seguir haciendo mercado. La guerra está en mi trabajo: antes de comenzar las clases o en medio de ellas muchas veces escuchamos la sirena que precede al proyectil y repetimos una coreografía cotidiana: en líneas generales no hago nada más que esperar el *boom* definitivo, petrificada, apoyada contra la pizarra, con la esperanza de poder decir "por allá cayó" y señalar lejos, muy lejos de donde me encuentro. Y entonces poder continuar dando mi clase.

Uno se acostumbra a todo, incluso a escuchar cómo atacan a los otros desde tu lado o cómo eres atacado desde el lado de ellos.

⟶ living in a bubble.

H de Hebreo

I

A la maestra de mi niño se le ocurre la genial idea – para romper el hielo, dice - de entregar unos papelitos con frases célebres que cada uno de los padres sentados en círculo debe leer. Trágame tierra, me digo. Me debato entre leer o no leer. ¿Tal vez pedirle al padre que tengo al lado que lea por mí y excusarme elegantemente por mi extranjeridad? Escucho las frases. Nada del otro mundo, me digo. Frases célebres que parecen sacadas de las actualizaciones de *Facebook*. De hecho, alguien lo dice: que cuando llegue a su casa va a poner la frase que le tocó en su estado de *Facebook* o de *Twitter*. Yo espero mi turno como quien espera el turno para sacarse una muela. ¿Pedir anestesia o hacerlo a sangre fría? Escucho la frase de la madre que tengo al lado y me digo: "¡bah, esto es nada para mí!" (y hasta me lo digo en hebreo: "*catan alai*") La madre lee una cosa muy simple y corta, algo como "Ser prematuro es ser perfecto". Ese tipo de aforismo certero como una flecha, inentendible como una imprecación en una lengua muerta (pero a quién le interesa entender, lo importante es que parezca algo grande). ¿Debo decir que el papelito que me tocó era tan largo como los rollos del mar muerto? Desenrollarlo me llevó horas. El aforismo más largo que se le hubiese podido ocurrir a nadie aparece ante mis ojos y a la espera de mi lectura otros miles de ojos ansiosos parecen estar a la expectativa de escuchar las revelaciones de las tablas de la ley. Leo como puedo, soy corregida 150 veces, y finalmente hago lo que debí hacer desde un principio: darle aquel testamento al padre que tenía al lado. "Lee tú" – le digo, con la violencia que da el deseo de abandonarlo todo.

II

Las vecinas llevan a sus niños al parque sólo para tener una excusa de encontrarse a intercambiar informaciones, sugerencias y opiniones. Una forma elegante de decir que se reúnen a chismear de lo lindo. Comadrear a diestra y siniestra. Intrigar fervorosamente. Y yo no tengo la velocidad de idioma requerida para chismear en un grupo de cinco madres escandalosas, violentas, culebréricas. Comienzo a decir algo y todas me miran interesadas, quieren saber qué opino o qué nueva información les puedo ofrecer, pero en vista de mi lentitud y mi tartamudez, se cansan y se cierra nuevamente ese leve, breve, delicado espacio que me habían dejado para hablar.

Este largo verano sin trabajar me ha dejado oxidada la lengua. Paso las mañanas en un monólogo interior en español, encerrada en mi lengua secreta. Y en las tardes escucho chismes vecinales que se desplazan a la velocidad de la luz. Querer intervenir es como meterse en una lluvia de meteoritos y pretender no ser arrasado.

"la dualidad an1nval"

III

Yo nunca voy a hablar bien esta lengua, aunque la entienda de pe a pa. Siempre seré una impostora. Soy como la letra hache de mi lengua, estoy allí, pero a veces soy muda. Y como la letra hache, aunque nadie me escuche, tengo una secreta participación en el diálogo infinito. Incluso a veces formo bellas palabras, sobre todo si estoy junto a otras letras –letras afines- . Pero cuando estoy sola o con letras hostiles, quedo muda.

También hay gente que no me determina. Gente de muy mala ortografía.

I de Insectos

Hay insectos cuyos nombres jamás conoceré.

Insectos que se esconden en los rincones fríos (los pocos rincones fríos de este verano desértico). Se ocultan en lugares llenos de cosas guardadas e inmóviles. Ahora están entre los zapatos de invierno, entre los suéteres de lana, en los bolsillos de los abrigos. En esa ropa que se guarda para cuando cambie la estación. En esos juguetes que los niños han relegado de momento. Debajo de los colchones, si uno olvida cambiar las sábanas. Detrás de algunos libros que no han sido hojeados últimamente. Y no sé cómo se llaman aquellos insectos porque no puedo describirlos. Son chiquitos, larguitos, un poquito transparentes, aunque a veces parecen ser de color gris. No tienen nada especial: muchas paticas, tal vez. Y como no puedo describirlos, no puedo preguntarle a ninguna persona nativa de esta lengua cómo se llaman. Y como siempre aparecen cuando me encuentro sola, no puedo señalarlos, mostrárselos a alguien y preguntarle qué son. En mi lengua, no existen. En mi lengua hay grillos, cucarachas y chiripas, pero no insectos silenciosos como estos. Insectos que se alimentan de polvo porque siempre están en esos rincones en donde escobas y trapos no llegan (o llegan, pero muy esporádicamente). Nunca están en la cocina. Son insectos de los armarios, pero no comen ropa como las polillas. Son insectos de lo olvidado, lo clausurado, lo detenido. Comen olvido y encierro.

Not a word for these insects in Spanish,

47

Le pregunto a mis hijos cómo se llaman, pero todavía no lo saben. Ellos que conocen los nombres de todos los pájaros y los árboles de esta lengua, no saben cómo se llaman esos bichitos. Porque esos insectos no son referidos por ningún libro infantil, por ninguna maestra. Bichitos del polvo y lo detenido. Insectos de los encerramientos y los abandonos. Animalitos que se alimentan de pelos y pelusas; que se regodean en la polvareda; que se complacen en la oscuridad de los rincones. Esos misterios de la lengua nueva a los que nunca tendré acceso. Una palabra que no podré disecar, como una mariposa, y guardar en mi repertorio de palabras inútiles.

J de Judías

The writings of Jewish women

Me encantan las judías, lo descubrí este verano.

Pero no esas judías que se comen, que yo nunca las he llamado así. Ni esas que andan por allí de sombrerito y languidez. Ni las de uniforme y metralleta. Ni las que cantan extralimitadas en el éxtasis y en el soul.

Hablo de las judías que se leen.

Dramáticas y delirantes como Alejandra Pizarnik quien quería sacarse la piedra de la locura en cada poema, pero lo que hizo fue abrazarla, enterrársela en lo más subterráneo de su núcleo. Y ya no puedo hablar de la Pizarnik sin recordar a Cristina Rivera Garza. ¿*La muerte me da* es la novela que tanto quería escribir Pizarnik? Rivera Garza, en todo caso, podría ser parte de esta lista, aunque yo no sepa si es judía. No me interesa. Más que un origen étnico o religioso, estas judías que se leen tienen una misma raíz estética. Una misma lucidez que encandila.

Desgarradas en Auschwitz como Irene Nemirovski. Su baile es preciso, acompasado, duele, impresiona y se presiente cada vez más aterrador. ¿Quién dijo que las descripciones exteriores, precisas y los verbos exactos eran patrimonio de Chandler o cualquier otro gringo? ¿Quién dijo que sólo la pluma masculina tiene ese rigor? ¿Quién dijo que lo femenino no es rigor? Aún antes de leerla, yo sabía que Irene Nemirovski era de las mías. Luego de leerla, su baile me atrapó ferozmente.

Masculinas como Batia Gur. Porque a mi Batia Gur me recuerda a esas mujeres poderosas y briosas que abundan en este Israel de la insolencia. Impertinente, metió su uña y su verbo en las grietas de esta sociedad que a veces se quiere a sí misma tan cuadrada. Con la máscara de la novela policial, desenmascaró miserias, desentrañó las malandanzas de las castas cerradas e intocables que conforman el Israel moderno. Una vez dijo, descarada, que ella misma era ese detective que protagoniza todas sus novelas, así como aquel famoso francés dijo "Madame Bovary soy yo".

Desoladas como Lea Goldberg. Siempre me ha llamado la atención que haya escrito tantos cuentos, canciones y poemas para niños si no los tuvo, si vivió encerrada con su madre hasta la muerte, en un apartamento de aquel mítico edificio de la calle Arnon, en Tel - Aviv. Las canciones infantiles más bellas en hebreo, llevan su firma. Los juegos de palabras más bordados son suyos. Ella, que no era hablante nativa de esa lengua, se dijo que no escribirla era equivalente a no escribir nada y abandonó su propio idioma sin reparos. Se entregó a esa música semítica, a ese desierto, a esa tristeza. Es cierto, casi todos los primeros escritores israelíes no fueron hablantes de hebreo como lengua materna, pero yo no los he leído. Yo sólo la he leído y la he cantado a ella. Sus canciones infantiles me acompañan en ese nuevo paso por la niñez que son los hijos.

Relenguadas como Krina Ber. Abandonar la lengua de la infancia es despatriarse, lo sabía Lea Goldberg y lo sabe Krina Ber, nacida en Polonia, criada en Israel y finalmente radicada en Venezuela. Abarcar otra lengua en una comunión que no cualquiera logra para escribir lo que se tiene adentro no es poca cosa. Es volver a tener un lugar primigenio. Heredera de estas judías nómadas de la lengua, Krina Ber escribe sus historias en ese español que le pertenece. Oraciones alargadas que a mi se me ocurre vienen del polaco, expresiones que tal vez vengan del hebreo, pero con el ritmo caribe de su Caracas adoptada. Los escenarios de sus narraciones están situados también en Lisboa, Tel Aviv o el sur de Inglaterra. En su obra llaman la atención los mecanismos de apropiación y construcción de ese espacio referencial: la profusión de las descripciones, las ilustraciones, la yuxtaposición de espacialidades, la relación fluctuante de los personajes con el escenario. Sus personajes, asimismo, suelen ser sujetos en tránsito – a través de una ciudad o de varias- que tienden a mirar la realidad y la cotidianidad desde una perspectiva diferente.

Llevadas por el ansia de contar como Angélica Gorodischer. Angélica Arcal fue su verdadero nombre hasta que se casó con el judío Gorodischer y tomó su apellido. Entonces se autodenominó "judía reencauchada": impostora entre las impostoras y a mucha honra. *Trafalgar* es uno de esos libros a los que siempre vuelvo. Su protagonista es un viajante interestelar que, sentado en un café de una ciudad argentina, va contando historias de naves, civilizaciones, planetas. De Gorodischer me encantan sus historias de ciencia ficción, pero también aquellas historias "realistas" que ocurren en espacios nebulosos y extraños, no nombrados. Me encantan sus extrañamientos. Me encantan, además, sus ochenta y tantos años y su cabello despiadadamente rojo.

Densas, como Clarice Lispector. Y cuando pienso en la Lispector pienso en el espesor de esa novela que se abre con la visión de una cucaracha. *La pasión según GH* es difícil de recorrer. Está escrita en una lengua pesada que verdaderamente construye en el texto la claustrofóbica pasión del personaje. Porque lo que quiere Clarice Lispector es mostrar el misterio y lo innombrable, lo irracional y lo más íntimo, y para hacerlo sólo dispone de palabras que no son más que convenciones, que no dan cuenta de ese alarido que está más allá de sí mismas. Entonces se dedica a estrujar esas palabras para sacarles

53

su rugido y a la vez su silencio. Yo creo que GH llega más allá que el Gregorio Samsa de Kafka, eso sí.

Recién descubiertas por mí, como Natalia Ginzburg. Unas líneas apenas de su *Querido Miguel* y ya sé de su fuerza.

Todas, o casi todas estas escritoras se han empeñado y se han salvado en la escritura.

Todas, o casi todas estas escritoras han conocido los temblores de la multiplicidad de lenguas, la extranjería, la dislocación.

importan

how me relates to them

K de Kilos

Mientras miro a mis niños jugar en el parque y me resigno a la mudez, a no participar de la chismería velocísima de las madres, se me acerca una de ellas, la más gorda de todas, y me dice que estoy tan flaca que parece que me voy a desaparecer. La verdad es que no he estado nunca "tan flaca", sino que mi cuerpo tiene unas secretas zonas sublevadas, reductos de grasa clandestinos, y suele mostrar solo unos ganchudos brazos como palos y unas tetas anémicas. Pero baste que una madre gorda me abrace con toda su corpulencia y me diga tal cosa para sentirme autorizada a ponerme al día con los kilos, a acabar con el frasco de la *Nutella* y, de ser posible, con la nevera entera.

¡Y qué manera de ponerme al día con los kilos tengo, dios! Arroz con nueces y pasas, salmones, jamones, turrones, tomaticos cherry con piñones, pistachos, pastichos, crema de garbanzo, tortas de chocolate, quesitos, pudines, halva, *scholent* y todo tipo de chucherías. Las delicias de la comida *kosher* y de la no *kosher*. A mi no me detiene ni la religión, ni la indignación. Lo dietético, lo macrobiótico, lo taguarérico, lo refrito. Lo vegetariano y lo carnívoro. Todo para dentro, sin miramientos.

Entonces ocurre lo inevitable: se me ensanchan las caderas más de la cuenta y no hay ejercicio que valga. Por más que nade, entrene a mis hijos, corra en ríos de corrientes caudalosas, brinque, camine kilómetros, haga maratones de zumba, no hay pantalones que me entren, que contengan y/o detengan la inexorable expansión de mis carnes.

La madre gorda me ve ahora conforme. Asiente con la mirada, satisfecha. Así sí, mijita, ahora sí que agarraste cuerpo - creo que piensa mientras me mira risueña. Me invita a tomar un café en su casa y no me ofrece ninguna galletica para acompañarlo porque ella ahora está en dieta, me dice. ¿Dieta? - grito para mis adentros. ¿Y qué hago yo entonces con esta hambre desatada? ¿Con esta posibilidad de desaparición nuevamente? ¿Con esta sed de *milkshake*? ¿Con estas ansias de pasteles?

Me como las uñas y me tomo mi solitario cafecito mientras estoicamente la escucho hablar de los rigores de su dieta.

L de Lidiar

A mi abuela le gustaba tener el cabello abombado con laca. Tres hebritas muy finas pintadas de "rubio avellana". Se lo pintaba y abombaba una peluquera española que pintaba y abombaba el pelo de todas las señoras de la cuadra. Las dejaba a todas idénticas. A mí me parecía que las dejaba a todas "españolas": clones de sí misma, emulando una moda dejada atrás en su huída del franquismo, tal vez. Muchas veces queríamos ir con mi abuela a esa peluquería, no más a ver, a aspirar el olor de la laca y los tintes de pelo, a mirar revistas de moda en medio de mareos de acetona, pero ella se negaba a llevarnos. Antes de irse dando un portazo, decía:

    —*No, no, no, yo no voy a estar lidiando con muchacho.*

    Entonces cerraba la puerta con doble llave y caminaba rumbo a su libertad. Su libertad que era enlacar y encopetar las tres hebritas muy finas que tenía por cabello. Luego del portazo, desaparecía por varias horas. Sin embargo, aquella frase dicha antes de salir, como una sentencia, quedaba retumbando en todas las paredes y moviendo las lágrimas de las antiguas lámparas de araña que adornaban el techo de la casa de mi abuela y que eran como su peinado: esplendorosas y con escasa relación con la verdad económica de la familia.

Hoy me titilan en la memoria como esas lágrimas aquel verbo: lidiar; y esa palabra "muchacho" en singular pero usada para referirse a un grupo de niños desbandados. En nuestro caso, niñas. En el español venezolano de finales de los años setenta ese sustantivo masculino y singular "muchacho" se usaba para las generalizaciones, los refranes, las grandes enseñanzas y las amenazas. Me viene a la cabeza aquella famosa frase que emitían mis tíos mientras se atragantaban de comida sin pensar en alimentar a los niños:

Muchacho come, si queda.

Una broma que enfurecía a los niños muertos de hambre. Pero el verbo lidiar es mucho más impresionante. Siempre había creído que significaba "cuidar" o "atender" niños, hasta que lo escuché acompañado de la palabra "toros" en un contexto bárbaro, lleno de aguijones y sangre. Creía mi abuela que estar con niños era tener que lidiarlos, batallarlos, regañarlos, sufrirlos. Creía ella, tal vez, que los niños eran toros tercos, recios, cuyo cuidado requería de maña y labor física.

A mis hijos yo nunca los lidio. ¿Será porque dejo que hagan lo que se les viene en gana que me parece que nunca podría usar el verbo "lidiar" con ellos? Cuando vienen conmigo a la peluquería, a aspirar de cerca los químicos para decolorar y desrizar, los miro de lejitos mientras me sumerjo en una revista que muestra los cortes de pelo que se están llevando en la temporada. Y será porque no los lidio que se quedan sentaditos, tranquilitos, drogados. Miran revistas. Juegan con las pinzas. Meten los dedos en las cremas.

Mientras la peluquera me corta el pelo, mi hija queda encargada de mi teléfono y de su hermano. Escucho detrás de mí golpes y tejemanejes. Los miro a través del espejo luchar por el teléfono. Me hago la loca y no los lidio.

De pronto suena el teléfono y mi hija atiende, da todos los datos de nuestra situación espacial. Grita: "Estamos en lo de esa peluquera que mamá llama *manos-de-tijera*". ¡Menos mal que lo dice en español y nadie la entiende!

Mi abuela, la elegante, iba a la peluquería sin niños, adoraba a su peluquera, conversaba con sus vecinas, salía de la peluquería convertida en una dama. Yo, la loca, voy a la peluquería con mis hijos, llamo a la peluquera *"manos-de-tijera"* en secreto, no converso con nadie y salgo de allí tal cual como llegué.

Voy a la peluquería a lidiar con recuerdos mientras mis niños hacen lo que les da la gana.

M de Milosz

Se sabe, o por lo menos yo lo sé, que me apasiona Polonia-1922 desde que leí *El certificado* de Isaac Bashevis Singer. Se sabe, además, que desde entonces vengo repitiendo que una vez viví en Varsovia, en la entre guerra. La gente que no sabe vivir la literatura me ve con desprecio. Se ríen. Piensan que enloquecí. No se dan cuenta de que leer es descubrir nuestras otras vidas. Que hay libros que como espiritistas convocan fragmentos de nuestra memoria perdida.

Yo viví en Polonia, en la entre guerra. Eso me quedó claro luego de leer a Singer porque cada detalle, cada cuadra, cada zapato roto, cada café de artistas, cada personaje me emocionó hasta la médula. Yo me inicié con esa novela de iniciación y hasta podría decir que a través de ella también recibí un certificado para poder emigrar a Palestina. No sé si finalmente emigré, pero lo cierto es que me salvé de Auschwitz.

También supe de mi vida en Polonia aquella mañana de sábado en la que me despertó el olor tan fuerte del *scholent* que D. me había preparado un invierno particularmente frío. Las carnes, los frijoles, la cebada perlada estuvieron cociéndose toda la noche y en la mañana la casa estaba calada por ese olor. Olor a fiesta y a sábado. Incluso, y por qué no, ¡olor a navidad!. El aroma de la memoria. La fragancia que solía despertarme cada *shabat* en mi oscura casa de Varsovia. Para D., sin embargo, se trataba de un olor totalmente nuevo porque sus bisabuelos habían dejado atrás todas las comidas y los sabores familiares cuando decidieron radicarse en Argentina. Mientras cortaba la carne, o mezclaba todos los ingredientes en la olla, D. contaba que su abuela algunas veces preparaba un supuesto *gefilte fish*, basado en un recuerdo borroso, y que negaba todas las recetas ancestrales. Él, sin embargo, había investigado a profundidad en Internet los secretos de la culinaria idish antes de complacer mi antojo de *scholent*, la comida de mis sábados polacos. Yo, que ni siquiera soy judía, me llené de recuerdos y nostalgias ese sábado mientras comía aquel guiso potente.

Es cierto, no he querido adentrarme en los meandros de mis recuerdos polacos. Obligo a mi mente a detenerse en lo superficial: el presentimiento, la leve evocación, la nostalgia, la piel emocionada. Evito comer o leer más de la cuenta a Polonia.

Pero siempre hay un pero: entonces vienen las cadenas de casualidades a mover la trama a su modo, a su beneficio. Este "pero" viene en la forma de un libro, en el rincón más escondido de una biblioteca pública. La superficie mostaza de su portada muestra las letras ABC estampadas en lugar de alguna ilustración. Lo agarro inmediatamente: *El ABC de Tsalka*, se llama. Cómo no me lo voy a llevar si yo misma también estoy escribiendo un ABC. Yo sé que no es idea mía esto de los abecedarios, esto de escribir crónicas, recuerdos, ficciones como si se tratase de un diccionario. En alguna parte había visto videos de Deleuze hablando de su alfabeto personal, pero no había querido perderme en la red buscando otros antecedentes y filiaciones. Sólo quería escribir sin detenerme en genealogías. Lo que me sorprende es encontrar antepasados al azar en ese libro mostaza, en ese deseo repentino de buscar autores israelíes pocos conocidos por mí, en esa biblioteca pública. Y Dan Tsalka dice que tomó la idea del abecedario de Czeslaw Milosz, ese autor polaco.

Todos los caminos llevan a Varsovia, me digo mientras leo que el abecedario es un género muy usado en la literatura polaca. Lamentablemente el único abecedario de Milosz que consigo en otra biblioteca está en polaco y hasta allí no llegan los recuerdos de mi otra vida en la capital de Polonia.

Milosz armó su autobiografía a la manera de un abecedario. Tsalka —quien también era polaco, pero tomó rumbo al Levante apenas pudo y se instaló en la tierra santa y en la lengua hebrea— dice que abecedarios, diccionarios y enciclopedias hay muchos, sin embargo la innovación de Milosz fue darle a su abecedario un carácter autobiográfico y a la vez no hablar directamente de sí mismo, sino hacerlo a través de los otros. Tsalka tomó la idea para sí. Ambos hablaron sobre sí mismos a través de la historia de los otros. Se escribieron en los otros. De esta manera oblicua tejieron la propia historia a través del riguroso orden de las letras, uno con el alfabeto polaco, otro con el alfabeto hebreo. Me doy ánimos a mí misma pensando que mi mayor innovación en el género alfabético será la presencia de la letra eñe, pero me equivoco: Bernardo Atxaga escribió unos cuantos alfabetos, tal vez en vasco, pero da igual porque en esa lengua también hay eñes. Muchos otros autores de lengua hispana seguramente han sucumbido al placer es escribir siguiendo el recorrido de las letras.

Según Atxaga los alfabetos surgieron en la edad media y constituían una forma de ordenar un discurso moral y ejemplificante en aras de atrapar a un público esquivo. Lo esquivo, en mí caso es la historia en sí: es la imposibilidad de ordenarme a mí misma y a la trama de este estío caluroso y anodino. Pienso que la severidad alfabética de algún modo me permite atrapar mis fragmentos.

Algunos monjes se dedicaron a amoldar sus moralejas según el orden de las letras, en esos *alphabeta exemplorum* que seguían una disposición casi tan antigua como el dios de todas las religiones. Los abecedarios - los cabalistas lo saben muy bien - persiguen un orden inquebrantable que tiene que ver con la disposición del universo. Inamovible, como un sino, el periplo del alfabeto tiene estaciones ineludibles. Una distribución casi idéntica en lenguas cuyos trazos no guardan ninguna similitud entre sí: de este modo siempre *alef* - *a* - *alfa* serán la entrada a esa secuencia de símbolos.

Mi alfabeto —muy por el contrario al de Milozs, al de Tzalka, al de Atxaga, al de los monjes o los oradores de la moralidad - está encerrado en olores de comida y de tintes para pelos, recuerdos de infancia, rincones oscuros donde no llegan los trapos de la limpieza, chismes, lecturas sin mucho orden, libros que me gustan porque me gustan. Mi abecedario es, sobre todo, egocéntrico: me escribo a mí misma en mí misma y en los otros, me aprovecho de ese orden milenario también para leerme. Invento sobre mi propia persona. Me disfrazo y me maquillo. Yo, que nunca he querido escribir autoficción, heme aquí, autoinventándome. Mientras los demás alfabetistas inculcaron parábolas, amalgamaron ficciones o hablaron de personas famosas o acontecimientos históricos, de filosofía o política, yo me dedico a redecorarme. No tengo la humildad que se requiere para hacerme a un lado. Como aquella vedette española antiquísima que aparecía en la televisión venezolana hace siglos, llamada - precisamente - "La polaca", me contoneo en el medio del escenario. No en vano pasé horas frente al espejo cuando era niña tratando de emularla. Una falsa polaca, como yo.

Frustrada por no poder leer el abecedario de Milosz en polaco, trato de conseguirlo en español en algún vericueto de la red y así me entero de que se acaban de celebrar los cien años de su nacimiento. Nació un verano como este verano en el que escribo mi abecedario, justo el día en que yo nací. ¡*Oy vey*!

N de Nómadas

Dos *jesucristos–súper–stars*, de esos que abundan por estos lados, llegan a la parada de autobuses en medio de la nada en la que me encuentro esperando aquel autobús que me llevará a la ciudad sagrada. Campos resecos de lado y lado: el trigo ya fue cosechado y la imagen es la materialización de la palabra "devastación". La carretera brilla en el medio. Oscura y escasamente concurrida. El calor es irrespirable.

Los dos cristos hablan de sus sandalias. No se trata de aquellas llamadas bíblicas que suele calzar la gente de por aquí, sino unas con mucha goma, cierres y correas. No combinan con sus barbas, sus cabellos desquiciados, sus franelas tostadas de intemperie. Pero son extremadamente cómodas, dice uno. Que no se arrepiente de haberlas comprado en el viaje, cuando apenas tenía para comer- dice el otro. Yo no puedo evitar inspeccionar detenidamente aquellas sandalias. Las miro disimuladamente mientas me como una manzana. Me hago la que no escucha o la que no entiende. Miro también las sandalias azules que llevo, las que decidí usar durante todos los días y en todas las ocasiones de este verano.

La conversación va deambulando, vagando, errando. Yo escucho, detenida.

—En Latinoamérica - dice uno - te pueden llegar a vender un pasaje para un autobús que ni siquiera existe.

No puedo evitar mover la cabeza afirmativamente. Me río. Recuerdo un oscuro autobús con destino a Caracas. El terminal de

Oriente. Y, mucho más atrás, el Nuevo Circo. El otro comenta algo que no llego a entender, que no escucho por el ruido de un camión cargado que pasa rompiendo el viento detenido de aquella carretera. La conversación sigue ese rumbo: del realismo mágico a la viveza criolla. Las palabras llevan un acento acompasado, como si flotaran en un sembradío de algodón. Los cuerpos, las manos parecen bailar en un *strawberry-fields-forever*. Y el autobús nada que llega.

—El autobús 351 es una verdadera pesadilla - dice el otro- que te lo digo yo que acabo de pasear en todos los autobuses de La India. Y ya lo creo, el 351 recorre todo el sur de Israel antes de llegar a cualquier parte. Digo que es cierto. Me río. Los miro. Sus barbas, sus greñas, sus franelas percudidas, sus sandalias exóticas. Dos nómadas del transporte público. Tres.

Ñ de Ñapa

Desconfía de las ñapas.
Huye de sus indulgencias,
sus pestañeos, su artillería.
No caigas en las trampas del dos por el precio de uno.
Y mucho menos creas en ese verso letal que reza:
"el segundo a mitad de precio"
O: "compre tres y el cuarto le sale gratis".
Qué vas a hacer endeudándote por dos pares de sandalias,
tú, que dijiste que todo el verano lo pasarías con aquéllas sandalias
azules;
tú, que no tienes plata ni para un solo par;
tú, que estás desempleada y ni siquiera tendrías ocasión de calzarlas.
¿A dónde irías?
¿A qué?

Desconfía de las ñapas.
Los regalos, las rebajas.
No necesitas dos pares de sandalias.
Tú que no sales de tu casa.
Tres paquetes de postales con sus sobres.
Tú, que sólo escribes cartas digitales.
Zapatos cerrados para que los niños no tengan frío en invierno.
Hay mucho verano antes del frío.

Dos jabones líquidos de *Dove*.
No se ha acabado el que tienes en la ducha.
Dos paquetes de toallas húmedas para limpiarse la cara.
Tú, que todas las noches te desplomas maquillada en la cama.

No agarres ni siquiera las papas fritas
que el señor que vende falafel te ofrece a cuenta de nada.

Todo tiene un dividendo, un lucro, una trampa.
Una tarifa rastrera que no acepta la cuota y se esfuerza en la estocada.

O de Oprobio

Que aquella mujer tenía una extraña forma de aprender idiomas —decían ellos en medio de risas. Que había aprendido una lengua eslava de un titiritero que se instaló en la plaza de un pueblo vecino. Ella vivía en esa zona de Europa en la que las guerras, los regímenes políticos, las rencillas, las geografías, las fábulas, los mitos, el exceso de vodka hace de dos pueblos vecinos dos países de lenguas diferentes. Todas las tardes aquella mujer se escapaba hasta aquella plaza y escuchaba al titiritero hablar en una lengua hermana de su propia lengua. Tenía 13 años. Inventaba cualquier mentira para desaparecer de su casa. Pasaba algunos controles militares o los escabullía. O tal vez ni siquiera los había. No contó detalles, sólo que estaba allí cada tarde y que de pronto la gramática de los títeres se abrió ante sus ojos como una gruta secreta. Por aquella gruta entró, de la mano de alguna fábula contada por un viejo de boca desdentada y un muñeco con lengua de madera. Luego esa lengua la llevó a otras plazas, escuelas, fábricas. Abandonó su pueblo y su primer idioma.

El español lo había aprendido aquí, mientras trabajaba en una fábrica. Su vida se resumía en el trabajo callado y repetitivo cada día; y la telenovela mexicana cada noche. Lloraba con las mismas lágrimas de sus trece años ante cada desengaño amoroso, cada trampa, cada reencuentro. Entró en la gramática de aquellas actrices excesivamente maquilladas, tan de madera como los títeres de su segunda lengua eslava. Sola, en su cuchitril, acompañaba su melodrama con una botellita de vodka y aquellos panes dulces rellenos con semillas de amapolas que le recordaban su infancia. Un día decidió comprar un diccionario español-ruso en lugar del vodka. Se propuso entonces aprenderse de memoria cada letra. Y así lo hizo en el largo recorrido del autobús que la llevaba cada día, ida y vuelta, desde su casa hasta aquella fábrica de un suburbio de Tel - Aviv. Hablaba un español rebuscado, lleno de adornos, se me ocurre que traducía la estructura de sus lenguas eslavas. Poseía una rigidez de diccionario. Y todo lo aderezaba con el vocabulario lacrimógeno de las telenovelas latinoamericanas más tradicionales. Aquella mujer era en sí misma una mezcla de fábulas. Su hebreo también pasaba por ese tamiz de lo eslavo y lo latino.

Pero a ellos eso les daba risa. Su español tan artificial. Su manera de aprender idiomas.

No supieron ver la parábola.

P de Perros

A veces jugamos a ponerle nombres a mascotas que no tenemos. Mascotas imaginarias que no tienen nada del otro mundo. Simples como un perro marrón. Comunes como un gato gris.

Célebres son los peces: Taña y Cuezo. Tal vez algún día realmente los tengamos. El pez Taña debería ser hembra y el pez Cuezo, macho. Habría que ponerlos en peceras separadas si no queremos presenciar cómo se comerán a sus propios hijos. Porque algunos peces son tan esquemáticos que siguen en cardúmen y con una fidelidad acuática aquel dicho que reza que "el pez grande se come al pequeño" y así no distinguen ni a sus propios hijos, pero esa es otra historia que bien cabría en esta misma letra.

Pero hoy estamos con los perros.

Un día apareció un perro. O mejor dicho una perra negra. Simple, común, un poco tonta, cachorra. La pusimos en período de prueba. La queríamos llamar Chupeta, luego Berrie, luego cualquier cosa. Cuando se ha practicado tanto con nombres, cuesta decidirse. E. no quería llamarla de ningún modo y quería que saliésemos a buscar a su dueño. Era seguro que era una perra con dueños, pero quién podía saberlo. Creo que no podíamos decidir el nombre pues nombrar es poseer, de algún modo. Poseemos, eso sí, a toda esa gama de mascotas imaginarias. Imaginarias, pero sin poderes especiales. Perros, gatos, hámsteres, conejos. A la perra real, sin embargo, la dejamos sin nombre.

A mi los perros no me gustan. No creo que sea sensato extirparles sus posibilidades de reproducción y convertirlos en una cosa obesa y babosa cuya vida gira en torno a la caricia del amo y a la comida. Pero tampoco me agradan las incontinencias sexuales de sus celos, ni los cachorros abandonados en basureros. Las dos estampas -la del fiel castrado o la del impúdico- me molestan de igual manera. Y más que el nombre de la perra, secretamente me debatía ante la posibilidad de castrarla o no.

E. insistía en que debía tener dueños. S. quería reiniciar la búsqueda de un nombre para aquella perrita que prometía mucho cariño y esperaba con la lengua afuera los juegos de los niños. D. sacaba cuentas del tamaño que alcanzaría cuando creciera. Iba a ser gigantesca, eso se le veía en los huesos portentosos de las patas. ¿Cuánto comería un perro de tal magnitud? ¿Cuánto cagaría? ¿Cómo haríamos para bañarla?

Bañarla fue la prueba de fuego: luego de una lucha cuerpo a cuerpo, logré enjabonarla y luego desenjabonarla. Húmeda, salió corriendo a restregarse en la tierra y se devolvió a patinar sobre las baldosas blancas del piso. Esa fue su venganza: líneas de charco atravesando toda la casa. Líneas que dejaron grabado el derrotero de su patinaje.

Inmediatamente salimos a buscar a sus dueños y los encontramos. En un lugar cercano al parque unos niños la vieron y dijeron que ésa era la perra de otra niña. Se la llevaron. Hay perros que van rebotando de dueño en dueño.

Algún día tendremos un perro, o un gato, o a los famosos Taña y Cuezo. Mientras tanto seguimos criando mascotas imaginarias. Y yo comencé a escribir algo que se inicia así:

Todo coincidió. La enfermedad del abuelo y el tumor del perro. Lo del abuelo se esperaba: era la consecuencia lógica de los años y de sus desafueros juveniles. Lo del perro nos dejó más sorprendidos. Carlucho lo había encontrado de cachorro, al perro. Tonto, negro, lleno de babas, había entrado a nuestra casa por la puerta de atrás. Había que convencer a mamá y a sus alergias. Había que persuadir a papá y a sus eternas cuentas que nunca cerraban. ¿Cuánto podía costar mantener a un perro? Si hasta los mendigos de la calle los tenían sin ningún problema económico. Comían lo que ellos comían y dormían donde ellos dormían. Nuestro perro comería las sobras, en todo caso. Y, además, ¿Cuántos pelos podría botar un perro de pelaje raso como aquél? Viviría en el patio y no entraría a la casa. Lo enseñaríamos a cagar donde se debe y nos turnaríamos para bañarlo.

En las tratativas para quedarse con el perro el abuelo nunca se metió. Acababa de llegar en esos días. Había traído sólo una maleta con sus cosas más necesarias. Un cepillo de dientes muy gastado. Un neceser lleno de medicinas. Suéteres olorosos a naftalina y una vieja corbata con la firma de sus ex-compañeros de trabajo. Miraba la discusión y al perro de lejos, sentado en una esquina del sofá que desde entonces fue su esquina, frente a la televisión encendida siempre en el canal del Estado. Ay de aquel que osase cambiarle el canal, cambiarle la realidad. El abuelo, tan callado y apacible normalmente, era capaz de escupir fuego si le quitaban sus programas de optimismo exacerbado y alabanzas a una supuesta revolución...

Q de Quién

— ¿Cuál es su nombre? — me pregunta el empleado.

Me quedo callada sopesando la respuesta. Pasan por mi cabeza todas las posibilidades de mis nombres: reales, legales, imaginarias, artísticas, locales, extranjeras. Y como no respondo inmediatamente el empleado me ve con mala cara. Creerá que soy tonta, autista, sospechosa, ladrona, tramposa. Veo barajarse todas las posibilidades de mi condición ante sus ojos, así como se barajan en mi cabeza todas las posibilidades de mi nombre.

Las posibilidades de mi nombre son infinitas - pienso y me causa mucha gracia. Me regocijo con mi pluralidad antes de contestar alguna de las combinaciones posibles.

—Norma Singer— respondo finalmente.

Cuando me pongo seria me gusta ese nombre que es mi verdadero nombre en este país, más no en el otro. Tal vez Norma Singer sea la polaca, la que vivió en Varsovia en la entre guerra, la que finalmente emigró a Israel y ahora es una señora muy matrona que gusta de leer esos libros que le recuerdan su infancia. *El certificado*, de su tal vez familiar lejano Isaac Bashevis Singer, pero también *Véase: amor*, de David Grossman. Una señora que canta enardecida *"Hurshat ha eucaliptus"* y todas esas canciones. Que se reía con Dzigan y Schumacher y se queja de la falta de gracia de los cómicos actuales. Que algunas tardes se deleita tomando un vasito pequeño de vodka de ciruelas cuando nadie la mira, cuando está muy cansada. Que ya no prepara *blinches* porque se los prohibieron por el colesterol.

El empleado anota mi nombre, descreído. Me mira como quien ve a una mendiga queriendo pasarse por princesa. Me veo en la necesidad de enseñarle mi documento de identidad.

— No hace falta - me dice sin siquiera agarrarlo, aunque en el fondo quiere mirarlo, comprobar que no estoy mintiendo, que en verdad llevo ese nombre de *yidishe mame*, aunque mi aspecto físico sólo me alcance para llamarme Liliana Lara.

Aunque, si de sinceridad se trata, ese nombre al que me parezco, el que supuestamente soy, tampoco es mi nombre, sino otra de sus posibilidades.

II

Antes de pisar este país, Sigal era Violeta, pero de eso ya no había quedado ningún registro porque su madre estaba perdida en la desmemoria y sus hermanos vivían en algún punto empobrecido de Latinoamérica. Algunas veces, sobre todo en los primeros días, hizo el esfuerzo de llamarlos por teléfono, pero con el tiempo - a pesar de que la telefonía estaba cada vez más barata - abandonó la idea. Tenía que sobrevivir de este lado del mundo y eso consumía todas sus fuerzas. Tenía que ocuparse de la lengua, de las manos destrozadas por el trabajo, de los hijos. Dos niños que crecían, fuertes, y le hablaban en ese, su nuevo idioma. Nadie, ni siquiera su marido, sabía de Violeta. Él la llamaba Sigui y ella le inventaba historias latinoamericanas llenas de lugares comunes y palabras como poncho, montaña, mal de altura, valcesito.

Un día el teléfono de su apartamento modesto en un bloque de Bersheva sonó para romper la quietud de ese sábado. Aaron, el marido, abandonó el café sobre la mesa antes de atender. Voces desde el otro lado del mundo le hablaron en un español florido como un tapiz. Como aquellos ponchos que él imaginaba cubrían la infancia borrosa de su mujer. No entendió ni una sola palabra.

Sigal, en cambio, lo entendió todo. Dijo que sí varias veces. Habló en un tono desconocido una lengua muerta para ella. Movió las manos de otra manera. Sus ojos se llenaron de lágrimas luego de cortar la conversación. Entonces se sentó, callada, en el sofá, aquel mediodía, en ese sábado aciago, y dijo que tenía que ir a buscar a su madre en aquel país empobrecido de Latinoamérica, que estaba enferma y no había quien la atendiese.

La madre se instaló en el cuarto del mayor de sus hijos, Oren, quien se había ido a cumplir el servicio militar. La madre era una vieja diminuta, de cachetes rosados, a pesar de lo demacrado del rostro. No hablaba en ninguna lengua y miraba con odio a Sigal por haberla separado de sus rosales, de sus vecinas, de su casa. Aaron le instaló en el cuarto un televisor. Lo sintonizó en un canal que pasaba telenovelas latinoamericanas durante las veinticuatro horas del día. Desde entonces el televisor estuvo prendido también durante veinticuatro horas, todos los días de la semana, en ese mismo canal en el que los diálogos amorosos se repetían hasta el infinito al punto de que muchos se iban instalando en la memoria de Aaron.

"Te amo" — le dijo una noche a Sigal con tono de actor dramático mexicano y ella le metió una cachetada. Entonces él se fue a dormir al sofá lleno de dudas: estaba seguro de que "te amo" quería decir "te amo", pero no entendía la bofetada. A decir verdad, no entendía nada: ni a la madre llena de odio, ni a la hija cada vez más callada, ni los diálogos empalagosos de aquellas telenovelas que todo el tiempo se escuchaban como música de fondo en su casa.

Para Sigal había sido terrible encontrarse con su nombre, allá, en aquel país. Nunca contó cómo le había ido en el viaje, ni trajo fotos, mucho menos regalos. Su nombre en boca de aquellos viejos que decían ser sus hermanos, en boca de vecinos que decían conocerla de niña, en la boca desdentada de su madre, era un puñal que le era clavado repetidas veces en las partes más blandas de su cuerpo. Una vez de regreso, volvió a ser Sigal como quien se vuelve a calzar un escudo. Ahora sólo tenía que convencer a la madre de que ella era Sigal y no Violeta.

No fue complicado borrar a Violeta de la memoria materna, pues ya estaba borrada. Entonces se presentó a sí misma como Sigal, pero su madre nunca la llamó de ninguna manera hasta la noche del infarto.

Aaron se despertó por los gritos de la vieja: *Violeta. Violeta. Violeta.* Debe ser una telenovela, pensó mientras se dirigía al cuarto de Oren. Allí estaba la anciana, ya muerta, con su eterna serie latinoamericana encendida. Antes de iniciar los trámites de la muerte, Aaron miró en la programación el nombre de la telenovela. Era "María la del barrio", o algo así.

Mientras Sigal se ocupaba de avisarle a los hermanos y preparar el entierro. Aaron pensaba en aquella palabra que no había entendido muy bien. Le parecía que era un nombre. Buscó en la programación del canal alguna telenovela que llevase ese nombre o esa palabra, pero no encontró nada. Sería el nombre de algún personaje – se dijo y echó al olvido el incidente, incluso decidió nunca contárselo a Sigal porque le parecía muy triste que la anciana hubiese muerto en un país extranjero pronunciando el nombre de la protagonista de una telenovela.

R de Ranuras

Hay voces que se cuelan a través de las ranuras de las murallas que nos rodean, voces que se necesitan, se entretejen, se reclaman, aunque esto no tenga que ver con la paz en el Medio Oriente, ni la igualdad, ni ninguna de esas palabras que abultan la lista de los valores positivos. Tal vez sólo tenga que ver con la vida. Una de esas voces es la de una señora palestina de origen peruano que suele llamar por teléfono desde una Belén sitiada, que queda a unos kilómetros de donde vivo, pero a la que yo nunca he ido. Aquella señora suele llamar a una fábrica de gasa y demás productos hospitalarios ubicada en un pueblo de Israel que continuamente está asediado por cohetes *Qassam* lanzados desde Gaza. Cuando la encargada de ventas de la fábrica se enteró de que aquella señora también hablaba español, se la pasó a D., que nada tiene que ver con ventas, pero que comparte lengua con la compradora. La señora peruana-palestina llama desde Belén para encargar apósitos de gasa, vendas y demás. Al margen de las transacciones comerciales ella y D. suelen conversar amenamente. Compartir lenguas maternas es como compartir un secreto, un origen, una historia común. Muchas veces, mientras hablan por teléfono, suena la alarma que anuncia que un cohete ha sido lanzado desde Gaza, que hay que correr hasta un refugio. Entonces mi esposo le dice que debe cortar porque está sonando la alarma y se despiden, con un poco de vergüenza. Muchas veces la gasa que llega a Belén termina en un hospital palestino y es usada para detener hemorragias causadas por ataques israelíes.

S de S.

Muy temprano en la mañana, aún sin abrir los ojos, siento la mirada de S. sobre mí. Que sus sueños le dijeron que la vida era un sueño y que ellos eran en realidad la vida – me dice. Estoy tan dormida que no puedo procesar tal información, pero la frase se me va adentrando como una moneda por la ranura de una máquina oxidada que luego de un largo recorrido cae donde debe caer y acciona mecanismos, catalinas, cables, cuerdas. Abro los ojos repentina y a la vez pesadamente. Me siento como uno de los títeres que se encontraban en el interior de aquella caja metálica que se llenaba de polvo y grasa en un restaurante de una carretera que recorrí mil veces en mi niñez. Mi papá siempre decía que habíamos perdido la moneda, pero de pronto los títeres abrían los ojos y comenzaban a cantar algo que suponíamos era una canción alpina. La moneda que me lanzó mi niño con su frase parece una moneda perdida en la maraña de mi sueño, pero cuando finalmente toca el cable sulfatado que corresponde, abro una boca que parece de madera y le pregunto que qué clase de niño que aún no ha cumplido cinco años viene a despertar a su madre con esas complicaciones borgeanas. Como una canción alpina cantada por un títere antiquísimo que debería estar en un museo de juguetes en Holanda y no en la carretera de Oriente en los años 80, abro mi boquita cuadriculada, muevo mis manitos amaderadas y convoco a Calderón de la Barca:

¿Qué es la vida? Un frenesí. ¿Qué es la vida? Una ilusión, una sombra, una ficción; que el mayor bien es pequeño; que toda la vida es sueño, y los sueños, sueños son.

Qué de tiempos sin repetir ese verso, esa *canción alpina*.

Mis niños siempre me meten sus monedas imaginarias y me hacen mover los pesados dispositivos de mi memoria. Aquella caja metálica, aquella carretera, aquel verso.

A S. le gusta mirar las cosas siempre de otra manera. Inventa instrumentos musicales como la guitarra-flauta o la flauta 2, que es la más difícil de tocar porque no tiene orificios. S. dice que se sabe la posición de todas las piezas del ajedrez de memoria. Me las dice una a una y yo me asombro y le creo porque no me sé el orden de las piezas y porque soy su madre y creo ciegamente en todo lo que me cuenta. A S. le gusta inventar juegos de computadoras. Cuando vamos en el carro o mientras lavo los platos me va contado de qué se tratan, va pasando de una etapa a otra. Confieso que a veces me pierdo. Escucho su voz como un gorgojeo lejano. Lavo platos o manejo. Me extravío en mis cosas. De pronto vuelvo y lo escucho decir que la etapa cuatro es la más complicada porque entonces los cocodrilos tienen muchas vidas y ... ¿Qué? – grito - ¿tiene tantas etapas ese juego?. Sí - me responde - y son cada vez más complicadas. !Ah, no! - me quejo - cuéntamelo todo de nuevo a ver si lo entiendo. Y entonces él comienza nuevamente, feliz.

¿Qué soñaste, hijito? – le pregunto y lo meto en mi cama. El repite la frase: que sus sueños le dijeron que la vida era un sueño y que ellos eran en realidad la vida. Entonces comienza su historia y yo lo escucho y le creo. Me gusta ser la madre de sus sueños.

T de Tesis

En algún punto de su diccionario de semiótica, Umberto Eco se queja de la falta de bases de una teoría, que en este momento no recuerdo cuál es, y decreta que lo mejor que se puede hacer con ella es agarrar las hojas sobre las que está escrita y liarse un cigarrillo de marihuana. Si, señores, mejor háganse un *joint* con ese papel. Una lumpia.

Tal vez yo deba escribir un diccionario de semiótica antes para luego poder decir lo mismo y con las mismas palabras de ciertas teorías aburridas y repetitivas. Ciertos trabajos que parecen ideados por la misma mente. Una mente enorme a la que están conectadas miles de cabecitas de académicos en el mundo. Esos mismos señores que se encuentran en cada congreso y se congratulan los unos a los otros. Se me ocurre, aunque la verdad es que realmente no lo sé porque yo no voy a congresos y cuando se habla de ayuda económica para asistir a este tipo de reuniones en diversas partes del planeta, yo – para mis adentros - pienso que lo mejor sería que me ayudaran a pagar el pasaje de autobús para la universidad que queda a una hora y algo del campo en el que vivo.

Si, soy la prima campesina que está un poco coleada en ese asunto, que hace un doctorado sólo para responderse preguntas que nada más le atañen a ella. Tal vez por eso no me atrevo sugerirle a nadie que se arme un *joint* con el papel en el que están escritas ciertas teorías y tengo que sentarme a escribir una tesis doctoral con un lenguaje tan serio y tan explicativo que no se puede creer que sea mío. A mi no me gusta explicar nada, a mi me gusta repetir hasta la saciedad las mismas palabras, a mi me gusta la sintaxis viciosa y circular, a mi me gustan los sonidos, el canto de una coma descolocada, la decencia de un punto-y-coma, la orfandad del punto-y-aparte. Me niego a poner tres puntos suspensivos porque quién ha dicho que el suspenso se cuenta de a tres. Me niego a poner un punto luego de un signo de interrogación porque creo en lo definitivo de ciertas preguntas.

¿Cómo voy a poder escribir una tesis, yo que no puedo mandar a mis lectores a que se hagan un *charuto* con el papel de ciertas teorías aburridas y repetitivas?

¿Cómo voy a escribir una tesis, yo que tengo como principio estético dejar todo inconcluso, a medias, suspendido?

¿Cómo voy a escribir una tesis, yo que soy la maestra de los desvíos, que nunca hablo claro, que pienso con una sintaxis tan enmarañada como mis cabellos?

La tesis que yo debería escribir tendría que ser una hermética autobiografía, filosófica, experimental, escrita a medias, que contara por qué de pronto el espacio se me hace un problema cuando escribo. Milosz – siempre Milosz - ha dicho que la imaginación es espacial: apunta desde un centro hacia diversas direcciones. Para él ese centro lo constituye generalmente el pueblo de la infancia o la región nativa. Pero en su opinión el exilio desplaza ese centro, o mejor aún: crea dos centros que se interfieren y contaminan el uno al otro. ¿Cómo construye el espacio narrativo un escritor que no se encuentra descentrado, sino que tiene muchos centros? ¿Qué hace, además, un escritor cuando ha perdido su lengua? Esas son las preguntas que quisiera responder con bravuconadas como las de Eco, o con enrevesamientos como los de Derrida.

A mí me encantaría escribir una tesis críptica como esa fascinante novela de autoficción lingüística erróneamente leída como un ensayo filosófico, titulada: *El monolingüismo del otro*, y escrita por el enmarañado poeta argelino Jacques Derrida.

Derrida era judío, pero sus padres no hablaban la lengua de sus antepasados - que vaya usted a saber cuál sería: ¿hebreo?, ¿ladino?... No creo que haya sido idish... Lo cierto es que los padres de Derrida hablaban árabe, en la modalidad argelina, pero no le hablaron a su hijo en aquella lengua tampoco, sino en ese francés tan particular que se habla en Argelia. Hablantes de modalidades de grandes lenguas, sin una lengua madre, eso fueron. "Soy el hablante monolingüe de una lengua que no es mía" es la frase que abre esta apasionante novela de desarraigo y pérdida. El francés es la lengua que la colonia francesa ha impuesto a Argelia, pero el francés-argelino no es el francés de Francia, sino una variante defectuosa a los ojos de la metrópolis. Mientras que la lengua de los padres - el árabe - es un idioma desconocido para el hijo, y, más aún, ni siquiera es la lengua del origen. El único idioma en el que puede expresarse Derrida es uno que no le es propio por un lado y que a la vez no es considerado como puro. "¿En qué lengua escribir las memorias, cuando no hubo una lengua materna autorizada?"- se pregunta. ¿Cómo hablar de ese origen, cómo recuperarlo desde un idioma que nos ha sido impuesto? Para escribir una *anamnesis*, hay que crear una lengua particular que sea, según Derrida, "lo bastante otra para no dejarse reapropiar por las normas, el cuerpo, la ley de la lengua dada, ni por la mediación de todos esos esquemas normativos que son los programas de gramática..."

A partir de este drama lingüístico particular, el enrevesado poeta argelino da cuerpo a una teoría de la propiedad de las lenguas, de la marca y la memoria de la lengua, de la necesidad de inventarse un habla particular para poder referir lo propio. Teoría que es citada y recontracitada por todos esos señores que en los congresos se congratulan los unos a los otros y escriben aburridas páginas sobre colonialismos, migraciones, exilios. Páginas que se repiten hasta la saciedad y que están escritas cuidando todas las normas de la lengua letrada. ¿Cómo se puede escribir sobre la lengua salvaje y particular desde ese compendio de convenciones? Todas estas páginas tendrían más utilidad si con ellas se pudiesen liar cigarrillos de marihuana, pero ni eso.

U de Urbe

La estación de autobuses es gris y muy grande. Lugares comunes del tránsito y sus domadores. La urbe se abre como un castillo lleno de malos tratos y baratijas. Cuantas veces perdí mis monedas a cambio de sus raídos espejos o su ropa plástica sin posibilidades de cambio. En ese templo de lo estrafalario venden las gorras y las camisas que sobraron de la olimpiada del 2004. ¿Qué oscuro flujo de barcos, trenes, manos, cajas, trámites, billetes debajo de la mesa trajo hasta esta costa del Mediterráneo, muchos años después, las sobras de los juegos olímpicos de Atenas del 2004? ¿Cuál será la procedencia de las demás baratijas, más allá del obvio *madeintaiwan*?

La urbe se abre como una feria llena también de fenómenos. Damas en-bigotadas compran perritos que ladran a pilas para llevarle al niño que las espera en casa. Señoras filipinas en cardúmenes comen en Mc Donalds. Chicas muy rubias compran una botella de vodka y una lata de Red Bull, encienden cigarros en lugares prohibidos y miran el continuo pasar de los pasajeros con ojos corridos. Un soldado se come una salchicha, tembloroso. Un religioso con bucles y joroba asusta a una niña. Un drogado derrama su café, ya frío, ante los ojos pasmados de la mujer que espera el autobús, esa que abraza fuertemente su cartera porque es latinoamericana. Esa que soy yo.

Una vez una horda de neonazis aterrorizó a todos los extranjeros en la estación de autobuses mientras anuncios en altavoces ofrecían ofertas y descuentos en *piercings* o libros en idish usados.

¿Qué oscuros tratos y malos momentos trajeron a esos libros en idish hasta este fortín de lo rechazado? ¿Qué extraña negociación convirtió a esa horda en perseguidores-perseguidos?

Nunca he tenido la "ventura" de vivir en una ciudad y suelo llegar hasta ellas por sus puertas traseras. Ese despeñadero que los citadinos en su casi mayoría desconocen. Eso que no puede ser urbe porque allí la urbanidad es palabra extranjera que no significa nada. Menos que un ruido. Reductos de lo tosco, lo rústico, lo ilegal, lo que no acepta ninguna norma. El billete pasado debajo de la mesa. El baño usado para intercambios sexuales. La pacotilla. Las apuestas. La colilla apagada en los restos de café turco.

Y yo, la extranjera, la que lleva la cartera apretada contra el pecho porque es latinoamericana, la que se come un sanduchito frío sentada en el pretil de algún matero, no puedo dejar de pensar que ésta es mi literatura urbana. Si escribo sobre ciudades no puedo escribir sobre el hombre solo y anónimo sino sobre el apelmazamiento de desechos. El suburbio del suburbio.

Los viejos libros en idish, las gorras de Atenas 2004, el religioso con su joroba, la niña que grita.

V de "Véase: amor"

Para llegar a la médula de la novela *Vease: amor*, de David Grossman, hay que atravesar varios horrores. Y esa médula no será dócil: nos seguirá espantando, nos hurgará el corazón con un palillo lleno de sal. Y aún así, en medio de todo aquello, sonreiremos con esa sonrisita paradójica y amarga de quien ha atravesado las múltiples capas del dolor, la locura, el mar; las múltiples capas de la ficción de la mano de un maestro.

Es como si en esas líneas todo estuviese vivo y palpitando: Antes de entrar en esas historias, hay que tener el corazón dispuesto.

I

"¿Tienes el corazón dispuesto?" era la pregunta clave y la consigna con la que los protagonistas comenzaban sus aventuras en "Los niños del corazón", una historia por entregas dirigidas al público infantil que escribía y publicaba en la Polonia de entre guerras Ansel Wasserman, el tío abuelo del protagonista de esta novela, bajo el seudónimo de Sherezade. Ese mismo tío abuelo que fue depositado como un escombro en la casa del niño cuando la crisis azotó al ancianato/psiquiátrico donde el pobre viejo se encontraba. Como no lo podían ya tener en esa institución, se lo llevaron de vuelta a la familia. Pero la familia era toda pobreza en el Israel de mediados del siglo pasado y el viejo era una carga. Momik, el niño, quedará encargado tácitamente del viejo y se dedicará a hurgar en su silencio y en su demencia, así como en las conversaciones adultas y en los viejos objetos de la casa. Hijo y nieto de sobrevivientes del holocausto, Momik vivía en la total ignorancia de los horrores por los que había pasado su familia. Sólo los vislumbraba en ciertos comentarios, ciertas manías, ciertas lejanías. La bestia nazi de la que se hablaba entre susurros por los rincones de su casa o en la plaza vecina era, a sus ojos, realmente una bestia, un animal furioso, un perro infernal. Para investigar a la bestia nazi se dedicará al escudriñamiento de animales en un sótano, al lado de una maleta llena de recuerdos. Para matar a la bestia nazi, elaborará un plan con el que matará también su infancia.

II

Momik, de grande, es el escritor atormentado que quiere escribir sobre la vida del escritor polaco de origen judío Bruno Schulz quien estuvo en el gueto de Drohobycz y murió asesinado en la calle, como un perro. Una tarea que le queda grande, le dicen. Tal vez por eso lo salva de su muerte real y en la ficción que escribe lo lanza al mar. Le da vida en forma de salmón, lo hace atravesar profundidades que se traducen en páginas y más páginas. El mar inmenso y femenino. El vuelo de los cardúmenes. La vida quebrada de quien pretende escribir un horror. La imposibilidad de decir de quien ha anulado todo sentimiento. Las corrientes profundas del abismo. El lector debe tener el corazón dispuesto para atravesar este océano.

III

Pero la historia que en verdad debe contar Momik es la de su tío abuelo Ansel Wasserman. Ese otro escritor polaco, pero de bestsellers para niños. Ese que escribía historias que imitaban a los clásicos infantiles. Fábulas repetitivas, llenas de lugares comunes y erratas. Aventuras con las que crecieron los niños de la entre guerra polaca y que fueron traducidas a otras lenguas y emocionaron a miles de niños en Europa. Dedicado a sacar dientes de oro a los cadáveres de sus propios compatriotas en un campo de concentración, Wasserman se salva de la muerte en varias oportunidades y es llevado ante el comandante como una curiosidad. Ese judío que no se muere con nada, que se salva hasta del gas, llega ante Herr Niegel, el comandante nazi, con verdaderas ganas de ser asesinado, pero no es así. En el mismo espacio narrativo están los tres: el nazi, Wasserman y el nieto - narrador que reconstruye la historia. Wasserman y su nieto se hablan entre paréntesis mientras se lleva a cabo la conversación en la que el nazi descubre que el anciano es el famoso Sherezade de su infancia:

Es entonces - y es un gran momento —cuando Niegel le dice muy bajito (sin perder a Wasserman de vista, como una serpiente hipnotiza al ratón que se prepara a tragar):

-¿Tienes el corazón dispuesto?

Y Ansel Wasserman responde, sin pensar:

—El corazón está dispuesto.

Silencio.

Entonces la ficción se multiplica. Se teje y se desteje ante nuestros ojos. Se transforma en una mil-hojas y nos lleva de una capa a otra sin punto y aparte. Vamos de la mano del nieto que narra y arma la historia. Escuchamos a Wasserman corregirlo, comentar, detallar algunas escenas, tratar de inventar la última aventura de sus héores. Wasserman que cuenta porque quiere morir. Ese "Sherezade al revés", como el mismo se autodenomina.

Pero la bala nunca llegará. O tal vez sí, pero será también una bala inversa.

IV

Momik, que quiere escribir una enciclopedia para niños sobre el Holocausto, termina escribiendo la enciclopedia completa de la vida de Kasik. En orden alfabético (¡otro alfabeto!), la enciclopedia nos lleva, palabra tras palabra y letra tras letra, a la última aventura de "Los niños del Corazón" y a la última aventura de Herr Niegel, el nazi, destrozado por la ficción de Wasserman.

"*Pero promete que al menos escribirás con COMPASIÓN (V.), con AMOR (V.) !No ese tipo de amor! No digas: Véase: Amor, Shlomik. ¡Ama!*" le pide su ex -amante, horrorizada ante la posibilidad del frío ordenamiento de las palabras en la horma de un alfabeto que supone será aquella enciclopedia.

Kazik es el bebé que encuentran "Los niños del Corazón", ahora viejos, escondidos de los horrores de la guerra en un viejo zoológico de Varsovia entre 1939 y 1943. Lugar en el que junto a animales muertos de hambre, están algunos hombres que ellos logran rescatar del gueto o de la muerte, en esa nueva misión que se imponen. Los rescatados son denominados "artistas": hombres que habían perdido la razón y experimentaban con el cuerpo y el alma. Artistas incomprendidos que se dedicaban a inventar máquinas ilógicas que mezclaban la física, la psicología, la locura. Una conjunción imposible que da como resultado obras esperpénticas, engendros como "el sistema del grito" o "la máquina de robar el tiempo". Entre ellos hay un farmaceuta que realiza experimentos para conocer mejor los sentimientos. "*Desde el principio, tuvo claro que el origen de esos sentimientos residía en el lenguaje; las personas son educadas para sentir sólo aquello que pueden nombrar*". Y esto me recuerda a una frase de Bruno Schulz que leí en alguna parte y que señalaba que la esencia de la realidad es el significado, lo que no tiene significado no es real para nosotros.

Toda la novela trata de darle un significado a algo innombrable. Darle nombre a un nuevo sentimiento. La novela es en sí misma un artefacto portentoso y terrible como esos que inventaban los artistas enajenados por la muerte, el hambre y la guerra que se refugiaban en el aquel zoológico. Para atravesarla, hay que tener el corazón dispuesto. Adorno se preguntaba si era posible la poesía luego de Auswitchz. Grossman, con este libro monumental, le responde que sí.

W de WiFi

A un lado del espejo retrovisor, el anuncio que indica que este autobús tiene *WiFi*, pero el señor no lo lee porque no sabe leer. Incluso si supiera leer, no sabría lo que es *WiFi*. Entonces la información se vuelve innecesaria. Apenas importa cualquier cosa que diga ese cartel. El señor va ciego – me digo – a un mundo de conexiones a realidades paralelas. Estar en un autobús que recorre vías frente al mar, caminos entre pinos y cipreses, carreteras bordeando sembradíos al sur de Israel y a la vez estar en una conversación en Caracas o en una información sobre Calcuta. El señor va en una burbuja a través de la que puede ver algunas veces carteles llenos de garabatos, supongo. El señor ha aprendido a obviar esos anuncios incomprensibles, ocupado sólo en lo que realmente importa: tratar de ser entendido esta vez por un chofer poco paciente. ¿A dónde? – le grita el conductor, ansioso. El señor está mudo: apenas conoce la lengua en la que habita. Por una palabra en la lengua local, lanza dos que son extranjeras. Gesticula y dice lo más claro que puede el nombre del destino de su viaje y entrega un billete arrugado.

La que no sabe de realidades paralelas soy yo, me digo y prometo no prender mi computadora en el viaje, no perderme en los rayos transparentes del *WiFi*, sino en este señor vestido como un rey africano. Un pañuelo blanco antiquísimo le cubre los hombros, percudido con arenas de Sudán, imagino. Un bastón traído del pasado. Un sombrero occidental de ala corta, plástico y China. Soy yo la que no sabe de otras realidades. Seguramente leo mal su anuncio, su traje, las palabras que se le escapan en su lengua. Ni el *WiFi* más novedoso me permitirá navegar en el mundo de ese señor, en su lejanía.

X de XL

Si las moscas africanas vuelan pesadamente, las del desierto son tábanos atontados chocando contra cristales imaginarios. Como si toda la atmósfera estuviese cristalizada, una mosca lucha contra la densidad de este mediodía. Sólo falta el sonido de las chicharras para que el calor sea más estridente. Y yo allí, en medio de eso, a punto de caer desplomada sobre el teclado como una mosca vencida por el sílice. Amalaya un chinchorro, me digo, para aplatanarme y celebrar toda teoría determinista. ¡Sí! El calor me pudre. Y no es sólo el de aquel trópico lejanísimo, sino también éste de desierto seco y duro. Amalaya una carpa oscura donde tumbarme hasta nuevo aviso. El calor me alela, me ralentiza los dedos, me pega el culo a esta silla. Las palabras no fluyen. El cursor se congela de espera. ¿Cómo puedo escribir siquiera una línea con este calorón, con este sueño? No hay café que valga. Es sueño del duro. Me tumba. Me va a hacer perder otro mediodía.

Vencida por el sílice: El color blanco me chilla en los oídos y todas las cosas me susurran la palabra *siesta*.

Pero no. Determinada a vencer todo determinismo, me pongo dos palillos en los ojos y salgo corriendo a comprar una lata de alguna *energy drink* en la tienda más cercana, la única a muchísimos kilómetros a la redonda. El único abasto de este kibbutz que hace muy poco tiempo dejó atrás sus días de bodega pueblerina y ahora es una franquicia de nombre luminoso, cajero venido de otros lados, aire acondicionado y ofertas.

Camino flotando por el mediodía destemplado hasta el oasis de esa única tienda. Sus puertas se abren ante mi presencia y un golpe de aire acondicionado me bienviene, me viene requete bien, me despierta. El argentino de la caja me saluda con su español oxidado. Lo saludo. Trato de recordar el nombre del pueblo perdido - se me ocurre- del que me contó que vinieron sus padres: ¿Resistencia? ¿Será Resistencia un pueblo perdido, lleno de gauchos judíos? No lo sé. Dos neuronas que no hacen contacto de tanto calor y siesta interrumpida tratan infructuosamente de encontrarse en la maraña achicharrada, pero finalmente desisten.

Sigo mi camino. Al final de un pasillo está la nevera llena de botellas relucientemente frías y el cartel que reza la oferta: Tres XL *energy drink* por el precio de una. Entonces me veo a mi misma en tres mediodías de energía terminando al menos tres cuentos, algo de la tesis, alguna letra de mi abecedario. La X, por ejemplo. Me veo escribiendo como loca. Venciendo al sílice. Volviéndome eléctrica mosca del trópico.

El argentino (en realidad nació en Haifa, pero sus padres son tal vez de Salta) me pregunta si no voy a llevar también una botella de vodka. Se ríe con una confabulación que proviene del hecho de compartir idioma, supongo. Esfuerza su lengua desacostumbrada al español, que muy pocas veces habla, para repetir la frase: "¿Querés también una botella de vodka?". No entiendo la propuesta, pero no se lo digo porque no se trata de las palabras, sino de algo que flota encima de ellas. Arrugo la nariz, me paso la mano por esta cabeza de neuronas desconectadas. Ante la ausencia de respuesta, el argentino me ve con mala cara durante un segundo, luego retoma su hebreo nativo y muy pulido para anunciar el total de mi cuenta. Se dedica a cobrar sin rezarme la lista de ofertas. Pago, indignada. ¿Acaso este tipo cree que me voy a fajar a tomar vodka en este calorón? ¿Acaso porque me habla en español y me cuenta de sus padres inmigrantes puede hacerme proposiciones indecorosas?

De regreso por el asfalto hirviendo y la tierra agrietada, pienso que el argentino tal vez me lanzó un mensaje en clave. Tal vez una copita de vodka era el remedio a este vaporón, a esta modorra, y yo no lo supe entender. Supongo que su abuelo ruso pasaba así los mediodías en Resistencia o Tucumán.

Otra vez frente a la computadora, destapo la lata y pienso en las otras dos que descansan en la nevera. Pienso en este mediodía de escritura fervorosa y en los otros dos que me esperan. Apiladitos, friecitos, azulitos como las latas. Entonces tomo dos tragos de sabor inexplicable y las neuronas inhibidas lanzan un mensaje a la nada: una botella de náufrago que primero navega en el mar de la apatía.

De pronto, recuerdo: ya me parecía conocida esta lata delgadita - me digo mientras la inspecciono detenidamente. Fue en aquella fiesta de bar libre en la que me tomé tres vasos de vodka con XL y baile cuarenta horas. Fue a la mañana siguiente en la que vomité tres veces. Las neuronas lanzan una alarma de nauseas cuando por fin hacen contacto.

Boto el contenido de la lata en el lavaplatos. Pienso en las otras dos latas que se quedaran en la nevera junto a mis mediodías de escritura fervorosa hasta quien sabe cuándo. Pienso en las lejanas moscas del trópico y en ese "estar mosca" que no aplica a las moscas atontadas de este desierto. Pienso en cómo será el clima de Resistencia. Sí, los padres del argentino son de Resistencia. Ahora viven en Haifa, pero vienen de ese lugar recóndito para mí. Él se mudo a este sur siguiendo a una novia y ya no tiene con quien hablar español, más que algunas veces en algunas llamadas a la casa paterna. Aunque por teléfono, la verdad, prefiere hablar en hebreo, así que solo habla español conmigo y con algún viejo jubilado que a veces aparece por allí. Parece un típico bodeguero de kibbutz, contándolo todo, y no un cajero de franquicia. Volvió al sur, aunque nunca ha estado en el sur de América – me dice, alegre – con ese español de palabras a las que les faltan letras.

Camino despacio hacia la cama mientras pienso en mis cuentos confinados como esas latas. Apiladas, azules, desperdiciadas. ¿Terminaré botándolo todo en el lavaplatos?

Me vence el sílice, el tupido velo de una calurosa siesta.

Y de Yo

No sé por qué pero recuerdo aquellos días en un naranja opaco. Un naranja fórmica que era el que imperaba en la casa de mi abuela caraqueña. Y en medio de la fórmica y el poliéster de finales de los años 70, me veo a mí misma aburrida. Un mes en la casa de la abuela sin otro plan más que mirar televisión o ponernos las máscaras de los diablos de Yare antes de subir a la terraza a bailar frenéticamente y espantar a los vecinos. Un mes entero, unas larguísimas vacaciones en el exilio caraqueño, muy lejos de nuestra casa, lejos de nuestro patio, nuestras muñecas, nuestros padres y nuestros amigos. El tedio nos llevó por diversos caminos a mis primas, a mi hermana y a mí. No recuerdo bien cuáles fueron los caminos de ellas, pero el mío era apasionante: registrar las gavetas y los compartimientos secretos de los clósets. Descubrir zapatos antiguos, el vestido de novia de la hermana menor de mi abuela, la navaja de afeitar del abuelo. Cada cosa tenía una historia que mi abuela contaba complacida, algunas veces. Otras, la mayoría, se enfurecía y me gritaba que dejara ya de jorungar. Estas niñas – continuaba en su queja – no tienen oficio. Entonces se ponía a inventar actividades que casi todas confluían en la limpieza o la cocina. Pero pronto bajaba la guardia otra vez y yo podía sumergirme en los cajones y los baúles y los estantes y las cajas. Las cartas habían sido escritas en papel cebolla con una caligrafía alargada. Yo apenas las podía leer, no sólo por lo viejo y borroso de sus trazos, sino porque escasamente entendía el significado de algunas palabras tan pomposas como la caligrafía con la que estaban escritas. Leía una firma, reconocía algún nombre de un miembro de la familia, fechas y lugares, sellos y estampillas. Era como tener la historia familiar en las manos pero escrita en un idioma que entendía a medias. Las palabras me eran extrañas. Un idioma escamoteado. Unas historias que la abuela se negaba a contar. Fotos de extraños, sombreros extranjeros, pasaportes con sellos de muchos países, recortes de periódicos color mostaza-tiempo. Todo eso me condujo a la ficción: tenía que inventar una historia para ordenar aquel ovillo de datos reales.

A la hora de la siesta, sin cerrar los ojos, me acostaba a contarme esas historias. Cada día un fragmento, un pequeño capítulo que algunas veces modificaba según conviniera. Era un trabajo mental muy arduo, que requería una gran memoria y una no menor concentración. Había encontrado la ficción, pero no tenía cómo moldearla, más que en palabras mentales. Mi siesta, entonces, era la más larga de todas las niñas en aquellas vacaciones de finales de los setenta.

Al año siguiente ya podía yo leer perfectamente y añoraba partir al exilio caraqueño, a internarme en los recovecos de la historia familiar, pero sobre todo en sus secretos. Como era de esperarse, la realidad me veló el botín. Una tía divorciada había vuelto a la casa paterna, es decir, a la casa de mi abuela, y con ella habían llegado los candados, las reglas, el orden frenético de los cajones, la censura de las cartas, el destierro de los viejos vestidos. Pero con ella también llegaron miles de revistas femeninas que hablaban de modas y flirteos, y que traían novelitas de Corín Tellado o Bárbara Cartland. Leí todas esas novelitas con urgencia porque se me acababan los días de vacaciones, escondida porque sospechaba que no era lo correcto. Luego de tal banquete me convertí en la experta más joven en folletines románticos: reconocí una estructura que se repetía, unos diálogos que me parecían mágicos, unos personajes apasionantes y tomé la decisión de escribir mi propia novela rosa en un cuaderno viejo, escondida de todos, incluso escondida de mi hermana y de mis primas. Había encontrado la estructura para transcribir mis historias mentales.

Nunca fui una alumna aplicada, pero en ese cuaderno dejé horas y horas de borrones y garabatos para finalmente darme cuenta de que no eran novelas rosas lo que quería escribir sino historias de un color tal vez naranja opaco. Historias que tejieran la mentira de los recuerdos y las memorias con la verdad de lo imaginado. Historias que tejieran la poesía y la peripecia. Que me permitieran vivir esas vidas que intuía escondidas en las gavetas o más allá de las ventanas. Unas vidas sólo recuperables a través de la ficción.

Z de Zapatos

I

Su abuela les repetía constantemente "no andes descalza", pero ellas eran tres. Y no sólo eran tres niñas, sino que también estaba Daniel, que era niño y siempre se ofendía por el trato en femenino. "No andes descalza", en singular, repetía la abuela atemorizada, mirando los pies blanquitos de los niños sobre el pasto reseco de finales de verano en una casa en algún campo, al norte de Israel, bien al norte y muy lejos de aquella Polonia en la que tuvo que andar descalza a pesar del frío en algunos nefastos días del año 45. Probablemente fue en 1945. Los niños la miraban desafiantes, sobre todo Daniel, quien repetía "descalzo", "descalzo", "descalzo", haciendo énfasis en las "o" finales. Y la abuela aprendía "descalzo", "descalzos", pero a la siguiente tarde, cuando volvían los nietos con su griterío de la escuela, ya toda aquella clase de lengua se le había olvidado a ella, que había pasado toda la mañana haciendo tareas domésticas, callada en todas las lenguas que hablaba y hermética en sus recuerdos. Entonces la abuela miraba las sandalias regadas en la sala, al lado de los morrales y las botellas de agua, y comenzaba su cantaleta que no estaba en concordancia ni con la realidad ni con la gramática. A su muerte, la madre contó a los niños – ya adultos - de unos zapatos que le quedaban grandes a la abuela. Había perdido los suyos corriendo, adentro o afuera del gueto, eso no lo tenía muy claro. Luego de varios días descalza, le habían tirado, por caridad, unos zapatos de hombre, talla cuarenta o cuarenta y dos.

A veces, mientras se preparaba algo para comer en la soledad del almuerzo o cuando recogía algunos juguetes que habían dejado regados sus nietos, pensaba en aquellos zapatos perdidos. Se los habían traído de Varsovia para el cumpleaños de Clarita. En la partida un zapato se le había caído primero. Quiso devolverse a buscarlo, pero su hermano le había dicho que no tenían tiempo, que qué más daba. Le quedaban un poco grandes aquellos zapatos, blancos nacarados, con tacones cuadrados y cintas bordadas. El segundo se lo sacó adrede. No podía caminar ni correr con el desnivel que le producía tener un tacón sí y el otro no. Días después, descalza, con los pies llenos de hollín, sabañones y huecos, recordaba a su madre diciéndole que se calzara, más por etiqueta que por necesidad. Ahora no había madres ni normas que valiesen. Y la pobre Clarita se había quedado sin fiesta. La nieta pensaba que tal vez aquellos zapatos de su abuela estarían en Yad Vashem. Pero, entre tantos otros zapatos arrancados, roídos por el tiempo y las vueltas, era difícil saberlo. Una vez fue a buscarlos. Miró insistentemente calzados destruidos por los años, la marcha, la huida, la desgracia. Zapatos de todos tamaños y modelos. Separados a la fuerza de los pies que los poseían, ahora expuestos en aquel museo. Los de su abuela serían tal vez talla treinta y tres, y con certeza eran muy elegantes, zapatos de fiesta.

Mi abuela quería por fin dejar de estar descalza – me dijo la nieta mientras viajábamos en autobús a la universidad, en medio de calles que parecen pertenecientes a otro espacio, a otro tiempo. Varsovia, hace mucho tiempo y no el Jerusalén de estos días. Ella comprendió a su abuela muchos años después, mientras ponía piedritas sobre la lápida de la anciana recién muerta y tras el cuento de su madre. Ese día entendió finalmente porque repetía tanto su abuela aquella frase en singular y en femenino. Era una frase que se decía a sí misma. Cuando le conté que nunca había querido ir a Yad Vashem porque alguien me habló de aquel apiñamiento de zapatos y le tengo fobia a los zapatos extraviados, ella me contó la historia de su abuela. Cuando le conté que no soporto ver a mis hijos descalzos, ella me dijo: creo que en realidad fuiste polaca en tu otra vida. Nos reímos en aquel autobús que en lugar de calles, atraviesa tiempos.

II

En este país cuando los niños llegan al parque, sus madres les gritan "descálcense", olvidando lo importante que fueron los zapatos para sus abuelos y tatarabuelos. O tal vez liberándose de viejos recelos, desconectándose de ese otro espacio en el que había que guardar el calzado como si se tratase de una joya, un utensilio con muchísimo valor para preservar la vida, un escudo. Entonces los niños se sacan con urgencia los zapatos, las sandalias, las cholas, cualquier cosa que lleven en los pies, que se los ahogue, que se los detenga. Los pies respiran, se abren de dedos y se van corriendo por la arena del parque, se montan en columpios y toboganes. Se escuchan sus chirridos frenando el deslizar y previniendo la caída. Las plantas de los pies curtidas vuelan en el mecer de los columpios.

Cuando llego al parque con mis hijos lo primero que les grito es que ni se les ocurra sacarse los zapatos. Hay dentro de mí una ley escrita con fuego que me impide ver a mis hijos descalzos en un parque público. En esa arena - pienso - mean gatos callejeros. También están las botellas hechas añicos de los borrachos nocturnos - imagino. En mi repertorio de recuerdos infantiles venidos de otro tiempo y de otro espacio no se encuentra en ningún lado la orden de descalzarse saliendo de la boca de mi madre, mucho menos en un parque. Todo lo contrario: su letanía eterna era que nos pusiéramos los zapatos. Que no anduviésemos descalzas. Que no anduviésemos en medias. Que había lombrices invisibles deambulando en el suelo - aún en el más limpio– que entraban por las plantas de los pies, subían a través del torrente de la sangre y podían llegar hasta el cerebro. "Alojarse en el cerebro" era la frase, como si la lombriz decidiera pernoctar en ese lujoso hotel cinco estrellas, ese mullido cerebro infantil. Supongo que aquella imagen se me alojó en el cerebro como la más feroz de las lombrices y es por eso que hoy, mil años después y aun cuando seguramente la ciencia ha demostrado que las lombrices son del trópico y no de este desierto achicharrado en el que vivimos, no puedo evitar gritarle a mis hijos que ni se les ocurra sacarse los zapatos en ese parque público rodeado de gatos callejeros y borrachos nocturnos. Mis niños me ven horrorizados, señalan los abundantes pies descalzos que corren por el parque. Yo digo tres veces no. No, no y no.

Yo, que también quería estar descalza. Yo, que me descalzaba cuando mi madre, y algunas veces también mi abuela, no me veían. Qué gusto daba poner la planta del pie en aquel piso siempre frío. Mis pies que siempre estaban calientes debido a las botas ortopédicas que tenía que usar. Pero entonces venían los cuentos de las lombrices a empañar la felicidad. Para mi abuela, más que las lombrices, lo peor de estar descalza era convertirse en un "pata-en-el-suelo", es decir, un salvaje. Llevar los pies en el suelo en la Venezuela de mi abuela era sinónimo de incultura, pobreza, atraso, analfabetismo. Para la abuela polaca los pies en el suelo significaban vulnerabilidad ante la muerte, el frío, las enfermedades, el dolor. En cualquier caso, los zapatos eran escudos.

III

Será porque representan un escudo vencido y me remiten a la vulnerabilidad de la vida que no soporto ver zapatos extraviados. Generalmente es solo uno en alguna cuneta. Entonces pienso en el otro, el que no se salió del pie durante la huida. Algún domingo por la mañana en esa violencia que es Caracas pude ver un zapato de mujer, gamuza y negro. Solo, con esa soledad terrible de lo que ha sido parte de un par. Casi como un miembro desgarrado. Imaginé a aquella mujer corriendo en dirección al metro. Su zapato de tacón de aguja cociendo el pavimento. Allí quedó como un muñeco de tiza, el zapato. Una huella. Pronto se inflaría de lluvia. Creo que ese fue el zapato que desató mi fobia. Desde entonces no he hecho más que encontrar zapatos de todo tipo, abandonados en los rincones más inverosímiles de cualquier calle. Siempre uno solo como un gemelo sobreviviente. O como un gemelo muerto. Hay ritos iniciáticos en diversas religiones que reclaman a sus iniciados la pérdida de un zapato. Un pie calzado y otro descalzado. Una asimetría que a mí me remite a la violencia, me angustia y me descoloca. Para los griegos descalzar un solo pie era un acto de amor o de tentación, tal como un seno cubierto y otro no. Pero no hay nada de amor ni de tentación en esos zapatos que una huída nocturna ha arrancado. Esos zapatos que quedan a la intemperie, carcomidos por la lluvia. Cenicientas que nunca serán encontradas porque la zapatilla de cristal quedó relegada, perdida en un recodo de la noche, una cuneta, una fuente vacía a la que nadie quiere volver para recuperar lo que se ha caído, para completar el par. Qué triste la soledad de lo que debe ser simétrico.

IV

Una vez, en el medio de un bosque cerca de Hebrón encontramos una orgía de zapatos abandonados. Cada uno con su par, eso sí. Unos habían pertenecido a una mujer muy alta, o por lo menos de pies muy grandes. Eran dorados y de fiesta, pero estaban percudidos por el tiempo y la tierra blancuzca sobre la que crecían pinos y cipreses empolvados. Los otros dos pares eran de hombres. Aplastados como cucarachas enharinadas. Una o dos tallas más que los zapatos de la mujer gigante. Un amigo los vio primero y nos llamó para que los mirásemos. Qué habría pasado allí - nos preguntamos. Quien había dejado sus zapatos como señuelos. Al ser pares, más que violencia a mí me hablaban de trampas. No me dan miedo los zapatos si están completos - dije, pero nadie me entendió.

Estoy segura de que nadie había puesto aquellos zapatos allí para que fuesen encontrados y luego usados como hacen en ciertos basureros de calles céntricas de Tel - Aviv. Allí los dejan completos, emparejados, a veces incluso enlazados por las trenzas, para que alguien se los lleve y los use. En medio de un bosque, en medio de la nada, casi en la frontera, nadie esperaría que sus zapatos fuesen encontrados y así poder llevar a cabo un acto de caridad, una donación o una limosna. En medio del bosque, aquellos zapatos eran un desperdicio, un exceso, un acto de soberbia y avaricia. Una emboscada. Me hicieron recordar que en el mundo árabe arrojarle un zapato a alguien es la máxima expresión de desprecio. ¿Una orgía de agravios había en aquel bosque cerca de Hebrón?

Entonces sí me dieron miedo aquellos zapatos, aunque estuviesen completos y lejos de las acequias caraqueñas.

V

Allí está el zueco rosado, lleno de flores. Lo imagino entre las piedras, casi sepultado, desteñido por el paso de las aguas y las estaciones. Un sueco plástico de una marca que ha invadido el mercado universal. Un sueco que se fue flotando como una embarcación. Un sueco que se escapó del pie delgado y pequeño de mi niña en aquel violento afluente del río Jordán. El otro sueco está en el closet. Un souvenir de aquella escena triste, aquel mal paso del que nos salvamos. Un zapato solo que nos recuerda constantemente la vulnerabilidad de la vida y nos hace agradecer a todas las fuerzas del universo por haber salido ilesos. Un sueco rosado, plástico, lleno de flores, que dice que somos doblemente vulnerables cuando tenemos hijos. Estamos expuestos a un azar multiplicado. Descalzos.

Por la misma autora:

www. sudaquia.net

Novedades:

Asesino en serio — Francisco García González

Las bolsas de basura — Enrique Winter

Los diarios ficticios de Martín Gómez — Jorge Luis Cáceres

Mandamadre — Leopoldo Tablante

¿Qué pensarán de nosotros en Japón? — Enrique Del Risco

Reflexiones de un cazador de hormigas — Diego S. Lombardi

Reverso — Enrique Jaramillo Levi

www.sudaquia.net

www.sudaquia.net

Printed in Great Britain
by Amazon

77988111R00087